Mystères À TRAVERS LES ÂGES

Pyramides • Univers • Océans • Préhistoire
• Civilisations perdues

SOMMAIRE

Titre original :
Mysteries through the ages
© 1996 Aladdin Books Ltd., Londres

Traduction de l'anglais :
Sylvie Allouche
Correction :
Anne-Christine Lehmann
Marie-Odile Mauchamp
© 1996 Aladdin Books Ltd., Londres

Édition française :
© 1998 Éditions Artémis - Paris
ISBN 2-84416-000-X
Dépôt légal : mars 1998

Impression et reliure : Tiber, Italie

Mystères À TRAVERS LES ÂGES

Textes de Anne Millard, Frances Dipper,
David Unwin et Nigel Hawkes

ARTÉMIS

Introduction
AUX MYSTÈRES

Les Pyramides

Les gigantesques pyramides de l'Égypte antique constituent les ultimes merveilles du monde. Depuis des siècles, leur puissance et leur mystère n'ont cessé de nous fasciner. Aujourd'hui, grâce à la technologie moderne, nous comprenons de mieux en mieux les pyramides.

Les Mystères

Est-ce que les pyramides ont un rapport avec les étoiles ? Qui était la reine de Saba ? Pourquoi les dinosaures ont-ils disparu de la surface du globe ? Existe-t-il une planète inconnue dans notre système solaire ?

La Préhistoire

Voilà des siècles que l'on déterre des ossements et des fossiles étranges, mais il n'y a pas si longtemps que les scientifiques enquêtent sur la provenance de ces découvertes. Aujourd'hui, grâce aux avancées techniques, nous comprenons mieux les origines de notre planète, des minuscules organismes aux premiers êtres humains, en passant par les gigantesques dinosaures et les mammifères primitifs.

L'Univers

Depuis les premières lunettes astronomiques du XVIIᵉ siècle, des inventions scientifiques telles que les sondes spatiales et les satellites nous permettent de mieux comprendre notre vaste univers. Pourtant, de nombreuses énigmes demeurent.

Les Civilisations perdues

Imprégnés de légendes et de rumeurs, les sites et les peuples disparus fascinent les archéologues depuis des milliers d'années. Aujourd'hui, nous pouvons rassembler les indices laissés par l'Histoire et déterminer si ces hommes et ces lieux existèrent aussi bien en réalité qu'à travers les livres et les mythes.

Les Fonds marins

Les hommes sont fascinés par le pouvoir et le mystère des océans depuis des siècles. Beaucoup de tentatives ont été entreprises pour découvrir leurs secrets. Aujourd'hui, la technologie moderne nous permet de mieux comprendre les mystères des profondeurs des océans.

Ce livre évoque tous ces mystères, sous l'angle des mythes et des légendes, et rassemble les preuves fournies par de récentes découvertes. Peut-être vous aidera-t-il à résoudre certaines énigmes !

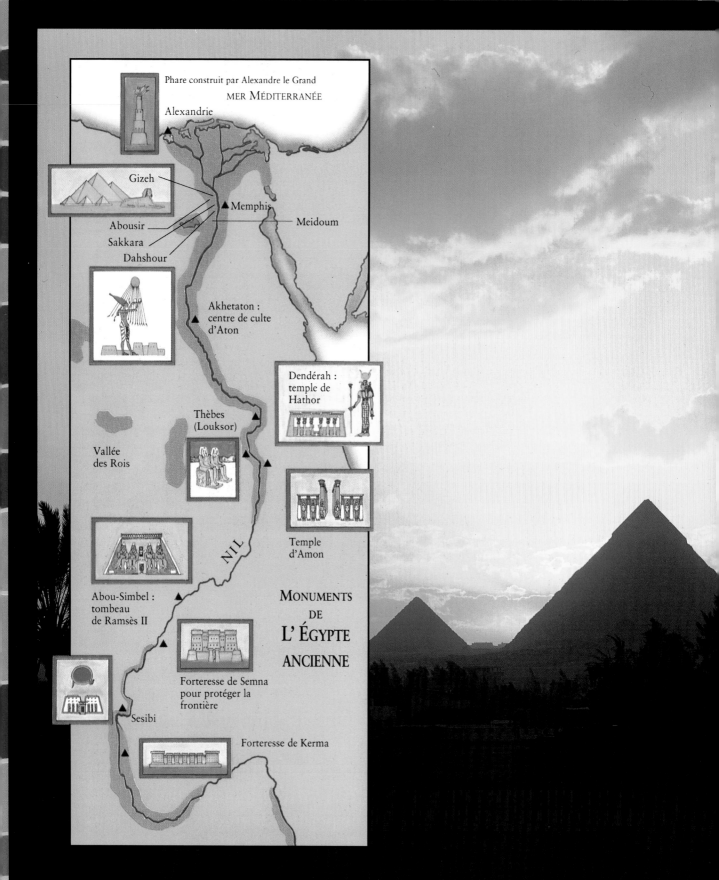

Phare construit par Alexandre le Grand

MER MÉDITERRANÉE

Alexandrie

Gizeh

Memphis

Abousir   Meidoum

Sakkara

Dahshour

Akhetaton :
centre de culte
d'Aton

Dendérah :
temple de
Hathor

Thèbes
(Louksor)

Vallée
des Rois

Temple
d'Amon

NIL

MONUMENTS
DE
L' ÉGYPTE
ANCIENNE

Abou-Simbel :
tombeau
de Ramsès II

Forteresse de Semna
pour protéger la
frontière

Sesibi

Forteresse de Kerma

LES PYRAMIDES

«Le ciel est menaçant,
Les étoiles s'assombrissent,
Les étendues célestes frémissent,
Les os des dieux de la terre tremblent,
Les planètes sont silencieuses,
Car tous ont vu le roi apparaître, tout-puissant...»
Début du *Texte des pyramides* 273

INTRODUCTION

Elles se dressent, silencieuses et mystérieuses, sur le plateau de Gizeh en Égypte... trois gigantesques pyramides et six plus petites. À l'autre bout du monde, d'énormes structures pyramidales dominent la forêt amazonienne de l'Amérique centrale et de l'Amérique du Sud... monuments qui appartenaient à de grands empires aujourd'hui à jamais disparus.

Il existe plus d'une trentaine de pyramides pharaoniques en Égypte, mais leur histoire grandiose a disparu au fil du temps. Toutes sortes d'idées, plus folles les unes que les autres, ont traversé l'esprit des gens ; certains pensaient qu'il s'agissait d'anciens observatoires, d'autres que les pyramides étaient l'œuvre de visiteurs venus de l'espace !

Il faut attendre le XIXᵉ siècle pour que les pyramides soient examinées en détail. Depuis l'époque des premiers explorateurs, de nombreuses énigmes ont été résolues, mais la science contemporaine ne peut toujours pas expliquer certains mystères. Ces dernières années, des chercheurs français et japonais ont affirmé détenir les preuves que la Grande Pyramide de Gizeh renfermait d'autres salles qui n'avaient pas été ouvertes depuis l'époque de Khéops, il y a près de 4 000 ans. Quels secrets ces salles pourraient-elles bien divulguer ? Nous aideront-ils à mieux comprendre cette grande civilisation de l'Égypte antique ?

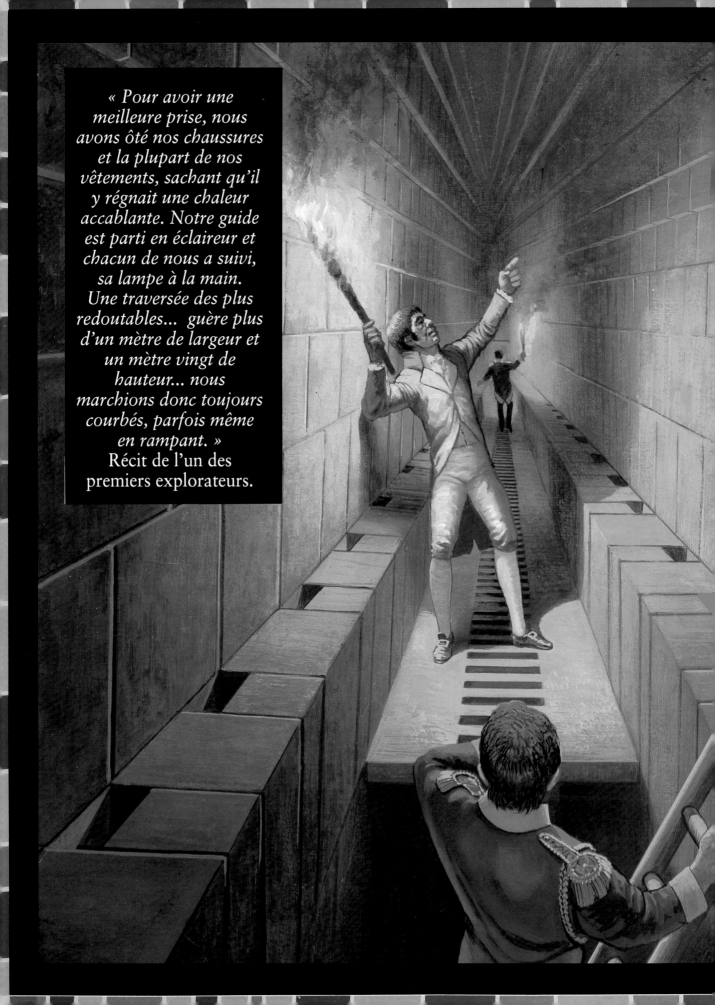

« *Pour avoir une meilleure prise, nous avons ôté nos chaussures et la plupart de nos vêtements, sachant qu'il y régnait une chaleur accablante. Notre guide est parti en éclaireur et chacun de nous a suivi, sa lampe à la main. Une traversée des plus redoutables... guère plus d'un mètre de largeur et un mètre vingt de hauteur... nous marchions donc toujours courbés, parfois même en rampant.* »
Récit de l'un des premiers explorateurs.

Les premiers EXPLORATEURS

De nos jours, lorsque vous visitez une pyramide, vous y trouvez un éclairage électrique, des escaliers et des rampes pour vous guider. Il y a trois siècles, les premiers explorateurs ne disposaient que de la lumière vacillante de leurs bougies et des mains robustes de leurs guides pour les conduire dans l'obscurité effroyable de ces édifices. La puanteur y était atroce et l'atmosphère lourde de poussière. Mais ces intrépides pionniers bravèrent la chaleur et les dangers pour vivre de nombreuses aventures.

Les premiers touristes à visiter les pyramides de Gizeh furent les Égyptiens de l'Antiquité eux-mêmes, puis les Grecs et enfin les Romains. Après l'invasion de l'Égypte par les Arabes, en 642 apr. J.-C., on utilisa les pierres extérieures des pyramides pour construire la ville du Caire. Pendant des siècles, peu de gens purent visiter l'Égypte, les savants disposaient donc de peu de renseignements sur les pyramides. Ces merveilleux monuments étaient-ils de simples tombeaux ?

Premiers explorateurs, PREMIÈRES DÉCOUVERTES

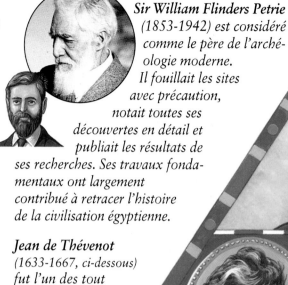

Sir William Flinders Petrie (1853-1942) est considéré comme le père de l'archéologie moderne. Il fouillait les sites avec précaution, notait toutes ses découvertes en détail et publiait les résultats de ses recherches. Ses travaux fondamentaux ont largement contribué à retracer l'histoire de la civilisation égyptienne.

Jean de Thévenot (1633-1667, ci-dessous) fut l'un des tout premiers explorateurs des sites de l'Égypte ancienne.

Tout au long de l'Histoire, les gens ont essayé de percer le mystère des pyramides. Les premiers chrétiens pensaient déjà qu'il s'agissait d'endroits où les prêtres observaient les étoiles. Au XIXᵉ siècle, certains croyaient que Dieu lui-même avait inspiré les dimensions de la Grande Pyramide de Khéops et que ces chiffres constituaient un code permettant de prédire l'avenir !

À cette époque, les érudits sont toutefois en mesure de déchiffrer les écrits de l'Ancienne Égypte et démarrent les fouilles des sites historiques. On sait d'ores et déjà que les pyramides constituent l'ultime demeure des premiers pharaons.

LE SPHINX ENSEVELI

Selon une légende égyptienne, un prince vit apparaître en rêve le Sphinx (la statue qui veille sur les pyramides). Ce dernier lui promit de faire de lui un roi, s'il le débarrassait du sable qui le recouvrait. Le prince s'exécuta et devint plus tard Touthmôsis IV.

LE CAUCHEMAR DE NAPOLÉON

Napoléon Bonaparte et ses troupes envahirent l'Égypte en 1798. Selon la légende, l'empereur se serait aventuré seul dans la Grande Pyramide et en serait ressorti blême, pantelant et tremblant. Quels secrets avait-il bien pu découvrir dans l'obscurité ? Nul ne le saura jamais...

LA CHASSE AU TRÉSOR

Au début du siècle dernier, les collectionneurs et les individus travaillant à leur service firent subir de graves détériorations aux pyramides. Ils n'hésitaient pas à utiliser de la dynamite; rien ne les arrêtait pour pénétrer dans les tombes ! Giovanni Belzoni, par exemple, était un ancien culturiste de cirque embauché par un collectionneur pour rapporter des objets égyptiens. Peu soucieux de sauvegarder les sites, il raconte dans un de ses récits comment il écrasa maladroitement des momies de la Basse Époque, tandis qu'il se frayait un chemin dans un tombeau.

La conservation des trésors

De nombreux musées et universités ont mis au jour des sites égyptiens. Les objets que l'on y découvre sont examinés par des experts, puis soigneusement entreposés pour de prochaines recherches. Les scientifiques utilisent les rayons X, le scanner (ci-dessous), la caméra-robot et d'autres techniques modernes pour percer le secret des tombeaux.

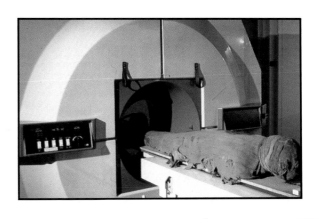

DES GRAFFITIS SUR LES PYRAMIDES

Belzoni n'hésita pas à graver son nom sur les pierres des pyramides !

Quand les touristes commencèrent-ils à affluer ?

En 1869, Thomas Cook, un agent de voyages britannique, achète un bateau à aubes en Égypte et offre un nouveau service : des vacances organisées. Moyennant un prix global, il propose un voyage vers l'Égypte, une croisière sur le Nil et un guide pour les excursions. Jusque-là, si vous souhaitiez visiter l'Égypte, il vous fallait tout organiser vous-même, ce qui s'avérait difficile et cher.

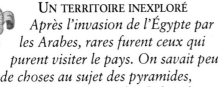

UN TERRITOIRE INEXPLORÉ

Après l'invasion de l'Égypte par les Arabes, rares furent ceux qui purent visiter le pays. On savait peu de choses au sujet des pyramides, la vallée du Nil et ses environs, sans parler de la culture et de l'histoire de l'Égypte antique.

La lecture des HIÉROGLYPHES

Vers l'an 3000 av. J.-C., les Égyptiens inventent une forme d'écriture picto-graphique (où les idées sont exprimées par des dessins) : les hiéroglyphes. Certains de leurs signes correspondent à des lettres isolées, d'autres à deux ou à plusieurs lettres. Les signes s'associent pour former des mots. Comme il faut du temps pour écrire ces hiéroglyphes, les Égyptiens inventent une sorte de "sténo" que l'on appelle hiératique. Environ 2 500 ans plus tard, l'écriture démotique, un autre système plus simplifié, est utilisée dans la vie courante, tandis que les hiéroglyphes servent uniquement aux textes religieux. Pendant des siècles, personne ne saura les déchiffrer, jusqu'à ce que Champollion fasse une découverte capitale en 1822...

LE CARTOUCHE ROYAL

Pour montrer les noms royaux ou sacrés, les Égyptiens écrivaient ceux-ci dans un cadre appelé cartouche (ci-dessus). Champollion (ci-dessous) s'est aidé des cartouches pour déchiffrer les hiéroglyphes sur la pierre de Rosette. Il a lu celle que l'on a reproduite ci-dessous dans sa version grecque. Il s'agit de Ptolémée V, un souverain d'Égypte. Puis il a cherché à découvrir à quelle lettre correspondait chaque hiéroglyphe.

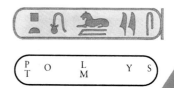

P O L Y S
T   M

* aucune traduction

*	i	y	y	*
w	*	b	p	f
m	n	r	h	
h	kh	h (muet)	s	s
sh	q	k	g (dur)	
t	tj	d	dj	

TROUVER LA CLÉ
La pierre de Rosette est gravée en hiéroglyphes, en démotique et en grec. Elle fut découverte en Égypte, en 1799, dans la ville qui porte son nom.

DÉCHIFFRER LE CODE
En 1822, un brillant jeune érudit français, Jean-François Champollion, utilise ses connaissances en grec ancien pour déchiffrer la pierre de Rosette. Grâce à lui, le mystère des hiéroglyphes est enfin percé.

UNE NOUVELLE ÉCRITURE

La dernière inscription en hiéroglyphes fut gravée dans le temple de Philae, en 394 apr. J.-C. L'ancienne écriture égyptienne disparut ensuite, remplacée par l'alphabet copte (du grec ancien aiguptios, qui signifie "égyptien").

Texte démotique

Palette de scribe

Les mathématiques antiques

Les Égyptiens utilisaient aussi des symboles pour leurs nombres. Pouvez-vous écrire 2 375 dans la numérotation égyptienne ?

| 1 | 10 | 100 | 1,000 |
| 10,000 | 100,000 | 1,000,000 | |

RÉPONSE :

LE PAPIER À ÉCRIRE

S'ils gravaient et dessinaient des hiéroglyphes sur les murs et sur des tablettes de pierre, les Égyptiens utilisaient aussi le papyrus, une sorte de roseau (ci-dessous). On découpait l'intérieur de la tige de papyrus en bandes, pour en faire de longues feuilles de papier en les trempant dans l'eau et en les pressant. Grâce à la chaleur et au sable égyptien, de nombreux papyrus ont survécu jusqu'à ce jour.

DES GUIDES SACRÉS

Dans la pyramide du dernier pharaon de la Ve dynastie et dans celles de toute la VIe dynastie, on a découvert des écrits que l'on appelle les Textes des pyramides. Ils étaient censés faciliter au roi son entrée dans l'autre monde (le paradis).

Ils contenaient des prières, des requêtes et des messages rituels adressés aux dieux. On espérait que ces derniers, tel Anubis (ci-contre), accueilleraient le roi et lui permettraient d'entrer dans l'autre monde pour y mener une nouvelle vie, heureuse et éternelle.

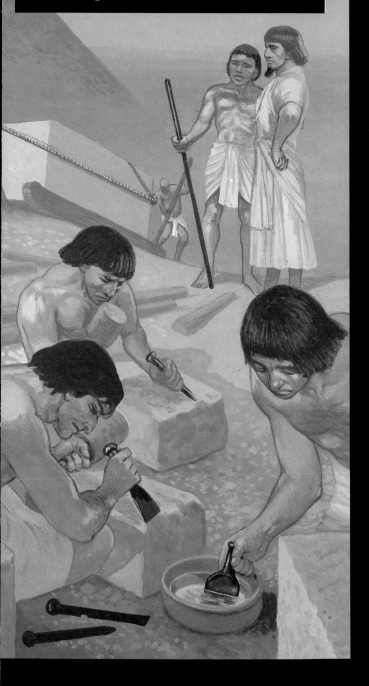

« Celui qui taille les pierres de grand prix déploie son art sur toutes sortes de matériaux durs. Lorsque sa tâche est accomplie, ses bras sont meurtris et la lassitude l'envahit. Lorsqu'il s'assoit à la venue de Rê [le soleil], ses cuisses et son dos se crispent de douleur. »
D'après *La Satire des métiers*.

La construction des PYRAMIDES

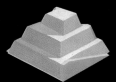

Pourquoi construisait-on des pyramides ? Qui les édifiait ? Comment procédait-on ? Autant de questions que le monde entier s'est posées, même après la traduction des hiéroglyphes par Champollion. Peu à peu, on sut que les pyramides étaient des sépultures (tombeaux). Les noms des pharaons qui les ont fait bâtir sont inscrits ou peints à l'intérieur, parmi ceux des équipes d'ouvriers, griffonnés sur les pierres.

La plupart des Égyptiens étaient agriculteurs et le Nil fournissait l'eau nécessaire aux cultures. Pendant les grandes crues du fleuve, qui inondaient les champs, les agriculteurs restaient sans travail, aussi, à cette période, le roi faisait-il appel à eux pour la construction de sa pyramide. Ce travail constituait une sorte d'impôt dû au pharaon. En général, les Égyptiens s'y prêtaient de bonne grâce, même si la tâche s'avérait très pénible. Selon leurs croyances, le roi était un dieu et, en échange de leur labeur, il veillerait sur eux lorsqu'ils seraient dans l'autre monde.

Construction et MAIN-D'ŒUVRE

LES BLOCS DE PIERRE
La pierre utilisée pour les pyramides provenait souvent de carrières locales. Le fin calcaire blanc servant au revêtement (ci-contre, à droite) provenait de Tourah, sur la rive orientale du Nil, d'où on l'acheminait par bateau. Chaque bloc était posé sur un traîneau en bois et tracté jusqu'au chantier par une équipe d'ouvriers. Afin que le traîneau avance facilement, les ouvriers le faisaient rouler sur des traverses en bois. On versait de l'eau en permanence dessus, afin d'éviter que la chaleur et la friction provoquée par le mouvement de l'énorme bloc de pierre n'enflamment le traîneau.

Après avoir trouvé un site suffisamment résistant, on aplanit le sol et l'on délimite la base de la pyramide. La construction peut alors commencer. Fixées par des cordes à des sortes de traîneaux en bois, les grosses pierres sont acheminées une à une sur le chantier par des équipes d'ouvriers. En dernier lieu, on pose un revêtement extérieur en calcaire blanc sur la pyramide.

LE CHANTIER
Même les pyramides aux côtés rectilignes étaient bâties avec une pyramide à l'intérieur (image du haut). Pour construire la structure centrale, les blocs de pierre étaient sans doute tractés le long de rampes en briques et en gravats (image centrale). On utilisait une rampe plus large (image du bas) pour ajouter le revêtement externe. Elle augmentait en taille et en hauteur à mesure que la pyramide s'élevait, et on la retirait en fin de chantier.

Combien de blocs contenait une pyramide ?
Cela dépendait de sa taille. La Grande Pyramide de Khéops en contient environ 2 300 000.
Combien pesait chaque bloc de pierre ?
Cela dépendait aussi de sa taille. La plupart des blocs de la Grande Pyramide pesaient environ 2,5 tonnes chacun.

L'ARCHITECTE SACRÉ

L'homme qui conçut la toute première pyramide s'appelait Imhotep. Aux alentours de 2700 av. J.-C., il construisit une pyramide à degrés pour le roi Djoser. Aux yeux des Égyptiens, sa sagesse était si grande et sa pyramide tellement impressionnante qu'il fut plus tard adoré comme un dieu !

Le complexe funéraire

Au bord de cet ensemble se trouvait le temple de la vallée, où l'on préparait sans doute le roi avant ses funérailles. Une chaussée menait au temple mortuaire, où l'on déposait des offrandes à l'esprit du roi. Il y avait aussi une petite pyramide pour la reine et des tombeaux rectangulaires, ou mastabas, pour la famille royale et les membres de la cour.

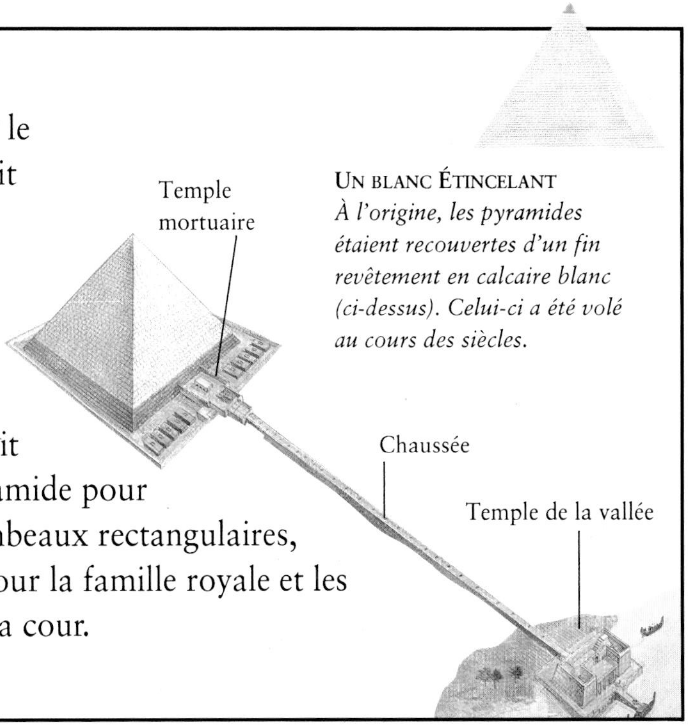

Temple mortuaire

Chaussée

Temple de la vallée

UN BLANC ÉTINCELANT
À l'origine, les pyramides étaient recouvertes d'un fin revêtement en calcaire blanc (ci-dessus). Celui-ci a été volé au cours des siècles.

UNE ÉNORME MAIN-D'ŒUVRE
Des maçons, des ouvriers et d'autres artisans œuvraient toute l'année sur le chantier d'une pyramide. Toutefois, la majeure partie des activités s'accomplissait pendant les quatre mois de grandes crues du Nil, lorsque les paysans venaient acquitter leur impôt en travaillant. Ils étaient logés, nourris et vêtus par le pharaon. Rendez-vous compte qu'il fallait parfois surveiller et organiser le travail de quelque 80 000 personnes ! En guise de rémunération, les travailleurs recevaient de la toile de lin, de la bière et de l'huile. On leur offrait aussi de la nourriture : viande, poisson, légumes, fruits, fromage et une sorte de pain complet.

LES OUTILS DU MÉTIER
Les bâtisseurs des pyramides de l'Ancien Empire disposaient de burins et de scies en cuivre, ainsi que de traîneaux en bois pour acheminer les blocs de pierre. Pour extraire ceux-ci de la carrière, on perçait la roche, on fichait des morceaux de bois dans les trous obtenus et on les arrosait d'eau. Le bois se dilatait et lézardait la pierre. Ou encore on chauffait la roche, puis on jetait de l'eau froide dessus ; on pouvait également tailler les blocs de pierre.

Pyramides et PHARAONS

Selon les croyances de l'Égypte ancienne, les rois sont apparentés aux dieux et le peuple les traite avec beaucoup de respect. Au début, il les enterre dans des tombeaux rectangulaires en briques de terre cuite, les mastabas. Mais le grand architecte Imhotep décrète que la terre cuite n'est pas digne d'une sépulture royale et il bâtit un mastaba de pierre pour son souverain, Djoser. Afin de lui donner davantage de grandeur, il ajoute un second mastaba par-dessus, puis un troisième et encore un autre... et la première pyramide est née !
Le roi Huni en fait construire une deuxième, qui sera transformée par son fils, Snéfrou, fondateur de la IVe dynastie, qui rend ses côtés rectilignes. Depuis ce jour, toutes les pyramides seront bâties ainsi.

LE CIMETIÈRE ROYAL
Les pyramides plus petites et moins bien construites d'Abousir et de Sakkara appartiennent aux pharaons des Ve et VIe dynasties. Ces sites abritent des sépultures qui datent de toutes les périodes de l'Égypte ancienne, et l'on y trouve la pyramide du roi Userkaf (ci-contre), avec la tête colossale du souverain.

DE GIGANTESQUES MONUMENTS
Les pyramides les plus grandes et les mieux bâties sont celles de Gizeh. Elles appartiennent aux trois souverains de la IVe dynastie (2575-2465 av. J.C.) : Khéops, son fils Khéphren, et son petit-fils Mykérinos. La Grande Pyramide est celle de Khéops, mais celle de Khéphren paraît plus imposante, car elle fut construite sur un terrain plus élevé. Dans les tombeaux, de petites figurines représentant les serviteurs (ci-dessus) étaient chargées de veiller sur les pharaons.

DES ADIEUX MIRACULEUX
Autour de la pyramide de Djoser se dressaient de solides constructions. Son esprit les a traversées comme par magie.

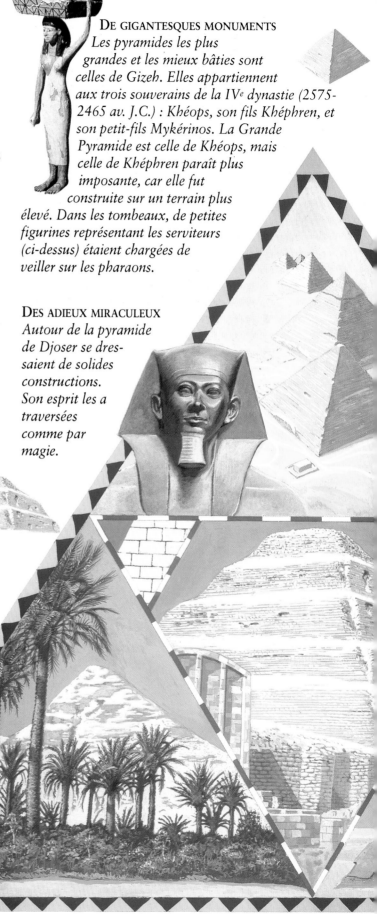

Y avait-il parfois des défauts de construction ?
Les bâtisseurs de pyramides travaillaient d'ordinaire avec précision. Mais l'erreur est humaine ! Le roi Snéfrou fit construire deux pyramides, dont l'une est connue sous le nom de "Pyramide penchée". Elle était pourtant censée avoir des côtés rectilignes, mais, à mi-chemin de sa construction, les architectes décidèrent que ses faces étaient trop abruptes et qu'elle risquait de s'effondrer. On l'acheva donc en adoucissant à la base l'inclinaison de ses côtés, d'où son aspect "penché".

UNE VÉRITABLE CATASTROPHE

La pyramide de Meidoum constitue la plus grosse bévue des architectes. Tout le revêtement externe dégringola, entraînant dans sa chute la majeure partie de l'édifice. En effet, on avait bâti le nouveau revêtement externe et rectiligne sur du sable plutôt que sur de la roche bien dure !

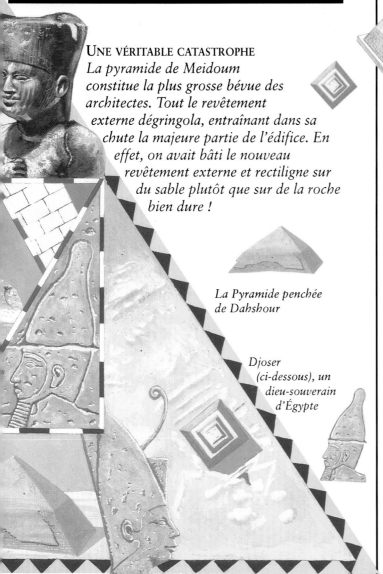

La Pyramide penchée de Dahshour

Djoser (ci-dessous), un dieu-souverain d'Égypte

Une classe à part

La Grande Pyramide se distingue des autres par ses trois chambres principales. Ces changements étaient-ils destinés à tromper les profanateurs de sépultures ? La chambre la plus haute est le seul véritable tombeau où repose le pharaon.

La Grande Pyramide de Khéops, à Gizeh

Plan d'une pyramide à degrés, dotée d'une chambre funéraire souterraine

La chambre la plus basse s'appelle "chambre de la reine", mais la souveraine était enterrée dans sa propre petite pyramide. Il existe quatre minuscules ouvertures dans les chambres du roi et de la reine. Beaucoup pensent que ces brèches étaient pratiquées pour permettre à l'esprit des souverains de rejoindre les étoiles. La plupart des autres pyramides se révèlent plus simples, avec une seule chambre funéraire et deux ou trois antichambres.

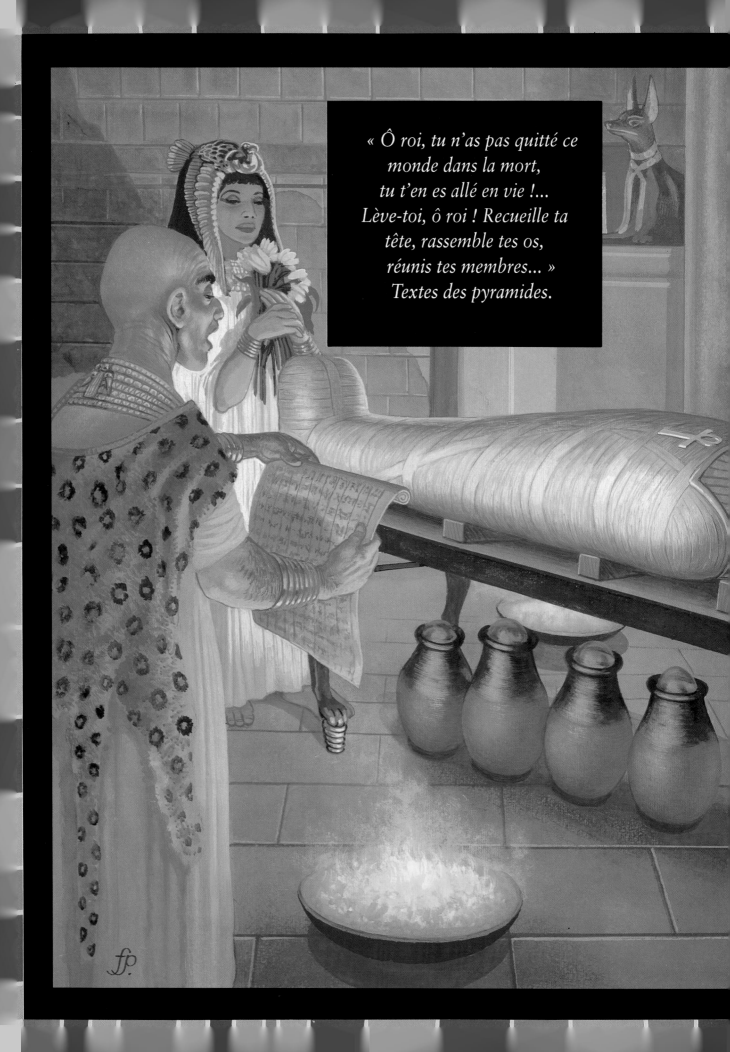

« Ô roi, tu n'as pas quitté ce
monde dans la mort,
tu t'en es allé en vie !...
Lève-toi, ô roi ! Recueille ta
tête, rassemble tes os,
réunis tes membres... »
Textes des pyramides.

Une vie après LA MORT

Selon leurs croyances, les Égyptiens pensaient que leur corps devait survivre, afin qu'ils puissent profiter pleinement de la vie dans l'autre monde. Le corps du pharaon devait demeurer intact à jamais, même si son âme s'en allait rejoindre l'au-delà et les dieux auxquels il était apparenté.

Dans l'Égypte primitive, les tombes sont peu profondément enfouies dans le sable du désert. Le corps des défunts sèche et se conserve ainsi de façon naturelle. Dès lors que les Égyptiens vont installer leurs souverains et leurs nobles dans de splendides tombeaux, les corps se détérioreront rapidement et l'on devra inventer des méthodes artificielles de conservation. Parmi elles, la plus réussie – appelée momification – connaîtra son apogée dans le Nouvel Empire. On retire les organes internes (poumons, cerveau, foie, etc.) et l'on recouvre le corps d'un sel spécial, le natron, qui permettra de l'assécher. On remplit ensuite le cadavre de lin et de résine, avant de l'envelopper de centaines de mètres de lin. C'est ainsi que de nombreux corps seront parfaitement conservés.

Préparatifs pour L'AUTRE MONDE

On pourrait croire parfois que les Égyptiens de l'Antiquité étaient obsédés par la mort. En fait, ils adoraient la vie sur terre, mais pensaient que l'autre monde ressemblerait à une Égypte dépourvue de chagrins, de soucis et de souffrances. Il n'est donc guère étonnant qu'ils se soient donné un mal fou à se préparer pour la vie éternelle, en s'assurant d'y vivre le mieux possible. Leur tombeau devait être confortable, rempli de tous les meubles et objets dont ils pourraient avoir besoin. Par-dessus tout, ils prenaient soin d'avoir suffisamment de nourriture, de boissons et de distractions.

DES PLAISIRS CÉLESTES
Les tombeaux contenaient souvent des peintures représentant de la nourriture et des artistes (ci-dessous), afin de préserver le bonheur des âmes des défunts.

LES ÂMES ET LES ESPRITS
Les Égyptiens croyaient qu'ils possédaient trois esprits : le ka, le ba et l'akh. Le ka constituait la force vitale d'un être humain. Après la mort, elle survivait dans le tombeau grâce aux offrandes et aux statuettes de serviteurs (ci-contre).

Le ba représentait la personnalité. Elle était symbolisée par un oiseau à tête humaine, qui pouvait se métamorphoser et quitter la sépulture. L'akh (évoqué par un ibis à crête) s'en allait rejoindre les étoiles ou Osiris.

DES AIDE-MÉMOIRE
On décorait les momies avec des images du défunt, afin que le ba puisse reconnaître le corps. Miroirs et peignes permettaient au mort de se présenter sous son meilleur jour.

Quelle est l'origine du mot "momie" ?
Le mot nous vient des Arabes qui pensaient que le bitume (*mûmiyâ*) servait à embaumer les corps.

FORTUNES ET RICHESSES
Qu'il s'agisse d'hommes ou de femmes, on avait coutume de disposer bijoux et trésors dans les tombeaux. Même les plus pauvres étaient enterrés avec quelques joyaux, afin d'avoir belle allure dans l'autre monde, parmi les dieux et les déesses.

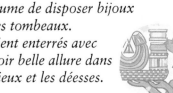

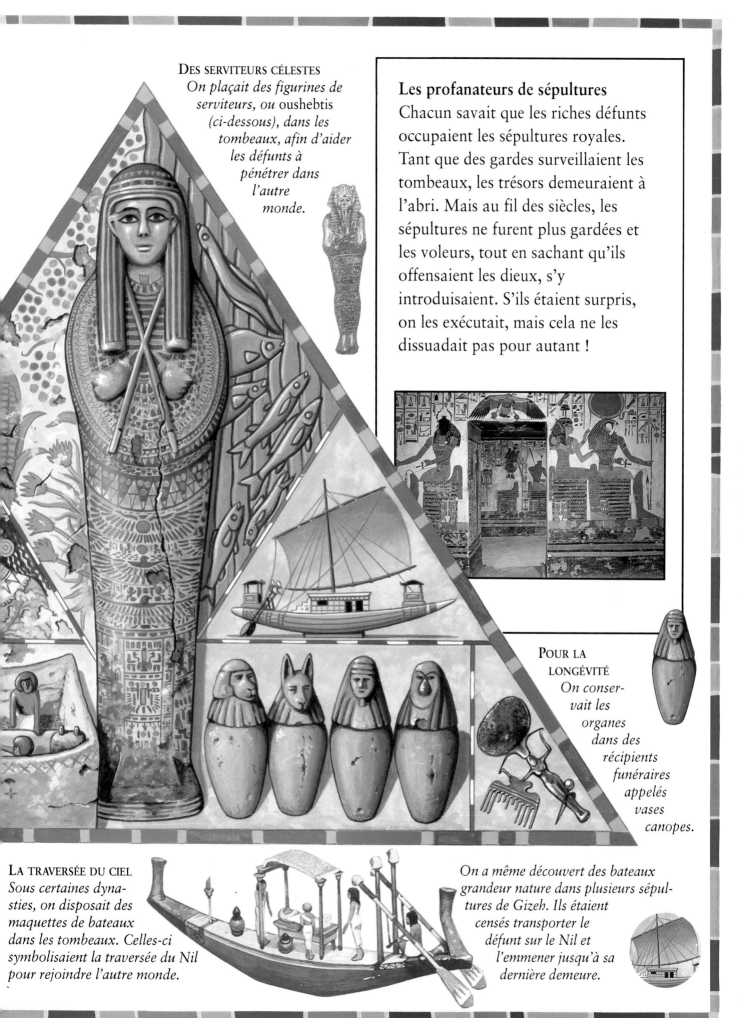

DES SERVITEURS CÉLESTES
On plaçait des figurines de serviteurs, ou oushebtis (ci-dessous), dans les tombeaux, afin d'aider les défunts à pénétrer dans l'autre monde.

Les profanateurs de sépultures

Chacun savait que les riches défunts occupaient les sépultures royales. Tant que des gardes surveillaient les tombeaux, les trésors demeuraient à l'abri. Mais au fil des siècles, les sépultures ne furent plus gardées et les voleurs, tout en sachant qu'ils offensaient les dieux, s'y introduisaient. S'ils étaient surpris, on les exécutait, mais cela ne les dissuadait pas pour autant !

POUR LA LONGÉVITÉ
On conservait les organes dans des récipients funéraires appelés vases canopes.

LA TRAVERSÉE DU CIEL
Sous certaines dynasties, on disposait des maquettes de bateaux dans les tombeaux. Celles-ci symbolisaient la traversée du Nil pour rejoindre l'autre monde.

On a même découvert des bateaux grandeur nature dans plusieurs sépultures de Gizeh. Ils étaient censés transporter le défunt sur le Nil et l'emmener jusqu'à sa dernière demeure.

À *la rencontre* DES DIEUX

Dans l'ancien royaume, le dieu tout-puissant n'était autre que le Soleil, Râ, dont la barque céleste voguait chaque jour dans le ciel. Ses enfants étaient Tefnout (l'Humidité) et Chou (l'Air). Ils étaient eux-mêmes les parents de Geb (la Terre) et Nout (le Ciel), qui avaient donné naissance à Osiris, époux d'Isis ; à Seth, le seigneur du désert et des tempêtes, époux de Nephtys ; et aux étoiles. Seth assassina son frère Osiris, puis découpa son corps qu'il jeta dans le Nil. Isis et Nephtys en rassemblèrent les morceaux et redonnèrent vie à Osiris, avec l'aide d'Anubis. Lorsqu'un souverain décédait, il montait au ciel rejoindre les dieux.

LA PESÉE DU CŒUR
Anubis (ci-dessous) était le gardien des défunts. Il tenait une balance, emblème de la justice. Pour être jugé digne de rejoindre Osiris (ci-contre), chaque défunt déposait son cœur sur un plateau, tandis que l'autre contenait la Plume de la Vérité. Si les plateaux s'équilibraient, le défunt avait mené une vie exemplaire. Si, en revanche, ils basculaient, le mort s'était mal comporté de son vivant et il était jeté en pâture à un terrible monstre, la "Grande Dévoreuse".

LES IMAGES DES DIEUX
Des dieux tels que Geb (en bas, au centre) et Chou (au-dessus, à droite) étaient censés porter une barbe. Les rois (et les souveraines ayant régné) arboraient de fausses barbes pour signifier qu'ils étaient proches des dieux.

Quelle était la divinité la plus puissante ?
Isis, la mère la plus affectueuse de toutes, possédait davantage de pouvoirs surnaturels que n'importe quel autre dieu ou déesse. À l'époque de la Rome antique, sa renommée s'étendait au-delà de l'Égypte et l'on a découvert des preuves du culte d'Isis jusque sur le mur d'Hadrien, construit en Grande-Bretagne vers 120 apr. J.-C.

Les animaux sacrés

Les Égyptiens souhaitaient être proches de leurs dieux et de leurs déesses, mais aucun être vivant ne devait poser les yeux sur ces divinités.

On choisissait donc un animal ou un oiseau qui symbolisait chaque dieu. L'esprit de la divinité pénétrait le corps de la créature et pouvait ainsi se rapprocher de ses fidèles et leur apporter du réconfort. Les chats étaient particulièrement populaires.

À l'instar de leur maître, certains animaux étaient même momifiés.

HORUS

Horus, le fils d'Isis (ci-contre) et d'Osiris, a combattu son oncle malveillant, Seth (ci-dessous), avant de devenir roi d'Égypte. Dans sa lutte acharnée, Horus s'est fait arracher l'œil gauche. Celui-ci est devenu ensuite symbole de sacrifice et d'offrande aux défunts. La Lune aussi symbolisait l'œil gauche d'Horus. Dans la mythologie et dans l'art traditionnel de l'Égypte ancienne, Horus est représenté sous les traits d'un faucon (ci-dessus).

LES LIEUX DE CULTE

D'immenses temples furent construits pour abriter les dieux et les déesses sur la terre. Seuls les prêtres, les prêtresses et la famille royale pouvaient y pénétrer. Les gens du peuple vénéraient leurs dieux à la maison. Ils conservaient une statue de la divinité dans une sorte de coffre sacré et la sortaient chaque jour pour la nettoyer, l'habiller et l'honorer de leurs prières.

27

> « Un escalier déploie ses marches devant moi, afin que je puisse m'élever vers le ciel... »

> « Puisse le Soleil renforcer ses rayons, afin que tu les gravisses pour t'élever vers le ciel... »
> Textes des pyramides 284, 523.

Idées nouvelles et ENQUÊTES

Dans l'Égypte ancienne, la pyramide est un lieu où l'on enterre le roi et ce qu'il possède, et où il est censé recevoir des offrandes éternelles. C'est aussi l'endroit où l'esprit du souverain divin prend son envol vers les cieux, pour rejoindre sa famille, c'est-à-dire les dieux et les déesses.

La plupart des experts affirment que les premiers Égyptiens croyaient que l'âme de leurs rois montait vers les étoiles. Ainsi, les pyramides à degrés servaient en quelque sorte d'escaliers, tandis que les pyramides aux côtés lisses symbolisaient des rayons de soleil en pierre, que le souverain pouvait gravir pour atteindre Râ.

Les pyramides ont sans doute eu d'autres usages. La pyramide représente-t-elle aussi un monticule qui, selon les récits égyptiens sur la création du monde, serait le premier monceau de terre surgi du néant originel, où seule l'eau était présente ? L'agencement des pyramides de Gizeh imite-t-il la disposition des principales étoiles des constellations que l'on appelle Orion et Sirius ? Et comment expliquer la disparition de plusieurs momies ?

Les secrets des ÉTOILES

Les mouvements du Soleil, de la Lune et des étoiles étaient d'une importance capitale dans la religion des Égyptiens et leur calendrier en tenait compte. Chaque semaine était marquée par un nouveau groupe d'étoiles qui apparaissaient à l'aube dans le ciel. Les Égyptiens divisaient les étoiles en constellations (groupes), mais ces regroupements étaient différents des nôtres. Leurs cartes du ciel représentaient le dieu-soleil et les étoiles qui traversaient le ciel en bateau. Ce qui prouve l'importance du Nil à leurs yeux.

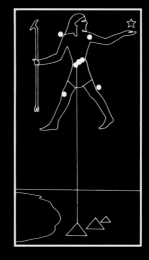

LA CARTE DES ÉTOILES

La constellation que l'on appelle Orion (ci-contre) était nommée Sahou par les Égyptiens. Ces derniers croyaient que l'âme d'Osiris s'y était glissée, après qu'il eut été assassiné par son frère Seth. Non loin de Sahou/Osiris se trouve l'étoile que l'on appelle Sirius, connue des Égyptiens sous le nom de Sopdet. Ils voyaient en elle Isis, la femme d'Osiris. Sopdet passe 70 jours par an sous la ligne d'horizon, ce qui la rend invisible depuis l'Égypte.

Le jour de sa réapparition dans le ciel marquait la nouvelle année en Égypte. C'est à cette période que le Nil connaissait ses grandes crues et l'on pensait alors qu'Isis pleurait son époux Osiris.

DES DIEUX ÉTOILÉS

De nombreux temples étaient ornés de dieux constellés d'étoiles et de divinités arborant une étoile.

DES OISEAUX CÉLESTES

Dans l'Ancien Empire, les hirondelles symbolisent les étoiles. Elles annoncent l'aube et on les représente souvent à la proue de la barque céleste de Râ. Dans des images plus récentes, on aperçoit fréquemment la tête d'un faucon qui descend du ciel, entouré des rayons du soleil et de l'œil d'Horus.

LA VACHE SACRÉE

La vache (ci-contre) était l'animal sacré de la déesse Hathor, reine du paradis.

Comment fonctionnait le calendrier égyptien ?

La semaine se composait de 10 jours, le mois de 3 semaines et l'année de 12 mois. Il y avait 5 jours saints à la fin de l'année, ce qui faisait 365 jours en tout.

LA VOÛTE CÉLESTE

Le hiéroglyphe du ciel (ci-dessus) figure le paradis sous la forme d'un solide plafond.

UNE VUE SUR LE MONDE
Pour les Égyptiens, le Soleil symbolisait l'œil droit du dieu Horus.

L'AMOUR DES DIEUX
Les Égyptiens croyaient que le ciel n'était autre que la déesse Nout (ci-dessous) qui déployait son corps sur la terre. Dans la mythologie, Nout a épousé Geb, le dieu de la Terre, mais Râ, le dieu du Soleil, était opposé à cette union et ordonna à leur père, Chou, de les séparer pour l'éternité. Entre-temps, Geb et Nout avaient d'ores et déjà donné naissance aux étoiles et aux quatre grandes divinités.

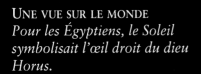

LES ÉTOILES DIVINES
Comme les étoiles du Nord étaient toujours visibles, on les appelait "les Éternelles".

Les mystères célestes
Quelles sont les quatre ouvertures étroites qui mènent à l'extérieur des chambres funéraires de la pyramide de Khéops ? Récemment, on a découvert que l'une des deux brèches de la chambre du roi pointait vers les étoiles du Nord, qui ne disparaissent jamais sous l'horizon, tandis que l'autre est dirigée vers Orion. Était-ce une sorte de passage permettant à l'âme du roi défunt de rejoindre Osiris ? On pense également que les ouvertures de la chambre de la reine sont orientées vers les étoiles. L'une pointe vers Sirius... est-ce encore un chemin direct vers les cieux ?

Orion/
Sahou/
Osiris

Sirius/
Sopdet/
Isis

Les pyramides de Gizeh ne sont pas tout à fait alignées. L'égyptologue Robert Bauval prétend qu'elles sont disposées comme les trois principales étoiles d'Orion/Sahou/ Osiris et qu'elles furent construites autant pour les besoins de l'astronomie que pour ceux de la religion.

Intrigues et MYSTÈRES

Au Moyen Âge, on pensait que les pyramides servaient de greniers à céréales, puis d'observatoires. Au XIXe siècle, une hypothèse affirmait que les mesures de la Grande Pyramide étaient d'inspiration divine et qu'elles contenaient un message codé pouvant prédire les grands événements de l'histoire du monde ! Aujourd'hui encore, les idées les plus folles circulent sur les pyramides, mais des preuves et des théories nouvelles améliorent constamment notre connaissance de ces gigantesques et mystérieux monuments.

UNE CHAMBRE SECRÈTE ?
En 1994, une équipe de scientifiques envoie un minuscule robot appelé UPUAUT II dans l'étroite ouverture sud de la chambre de la reine de la pyramide de Khéops. Ils souhaitent savoir si l'on peut améliorer l'aération de la pyramide, en raison du nombre de touristes qui la visitent chaque année. Le robot chemine sur une soixantaine de mètres... puis sa caméra vidéo montre une pierre munie de poignées de cuivre qui lui bloque le chemin. Qu'est-ce qui peut bien se trouver derrière cette minuscule porte ? S'agirait-il d'une chambre secrète ? Que renferme-t-elle : une statue, des écrits dissimulés, de merveilleux trésors... ou rien du tout ? Les scientifiques espèrent pouvoir regarder au travers d'une lézarde à la base de la pierre, grâce à une mini-caméra, du type de celle qu'utilisent les médecins pour observer l'intérieur du corps humain. Et que va-t-elle leur révéler ?

UNE INTRIGUE VIEILLE COMME LE MONDE
Les archéologues pensent que le Sphinx fut sculpté après la construction des pyramides. Un homme avance cependant l'hypothèse que le Sphinx serait l'œuvre d'une civilisation bien plus ancienne que celle des pyramides. Selon lui, le vent et la pluie ont davantage érodé ce monument que la surface des pyramides. Mais cela n'est guère probable, car aucune autre trace de cette civilisation n'a été trouvée.

DES ÉGYPTIENS VENUS D'UNE AUTRE PLANÈTE
Certaines personnes suggèrent même que les pyramides sont l'œuvre d'extraterrestres !

LE MYSTÈRE DE LA MOMIE DISPARUE

En pénétrant dans la pyramide à degrés inachevée du roi Sekhemkhet, les archéologues s'aperçoivent que les pierres bloquant le passage sont en place, une couronne de fleurs se trouve toujours sur le sarcophage (cercueil) et le lourd couvercle en pierre est solidement scellé. Tout excités, ils le soulèvent en faisant levier et découvrent... qu'il n'y a rien à l'intérieur ! Où est passé le corps ? A-t-il été enterré ailleurs, en secret, pour tromper les voleurs ? L'a-t-on dérobé ? Jusqu'ici, on n'a toujours pas retrouvé la momie et il est peu probable qu'on mette un jour la main dessus. Il semble que les pyramides nous réservent sans cesse de nouvelles énigmes et de nouveaux mystères.

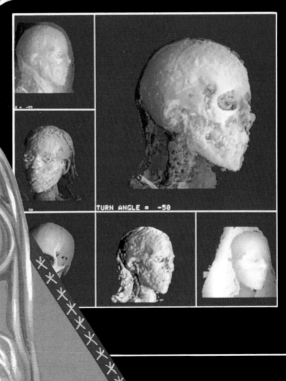

Les recherches actuelles

Ces dernières années, la science et la technologie ont permis aux archéologues de percer de nombreux mystères de l'Égypte. Il existe par exemple plusieurs façons de dater les restes d'humains et d'animaux, le bois et les poteries. Durant des années, les rayons X ont servi à examiner les momies, tandis que les scanners utilisés dans la médecine moderne permettent une représentation encore plus précise de ce qui se trouve à l'intérieur, sans risquer de détruire une momie en enlevant ses bandelettes.

Grâce à l'ordinateur, on peut facilement reconstituer les visages d'êtres humains ayant vécu il y a 3 000 ans !

TURN ANGLE = -50

À quoi ressemblaient les Égyptiens ?
Faisant appel à des techniques employées par la police, les archéologues utilisent l'informatique (logiciel de dessin en trois dimensions) ou la terre glaise pour recréer les visages à partir d'anciens crânes.

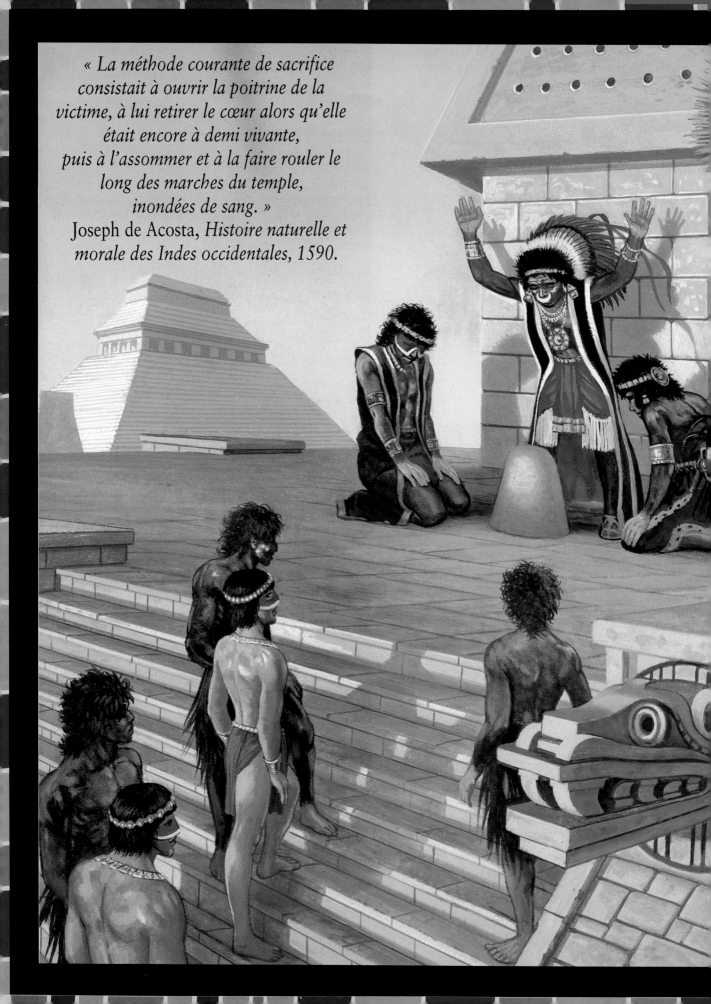

« La méthode courante de sacrifice
consistait à ouvrir la poitrine de la
victime, à lui retirer le cœur alors qu'elle
était encore à demi vivante,
puis à l'assommer et à la faire rouler le
long des marches du temple,
inondées de sang. »
Joseph de Acosta, Histoire naturelle et
morale des Indes occidentales, 1590.

Les pyramides dans LE MONDE

La civilisation égyptienne ne fut pas la seule à bâtir de grandes structures pyramidales. Les anciens habitants de la Mésopotamie (actuellement la Syrie orientale, la Turquie du Sud-Est et la majeure partie de l'Irak) érigeaient des édifices en forme de pyramides pour se rapprocher de leurs dieux et de leurs déesses. Ils construisaient des tours à gradins en briques de terre, dotées de temples sur la terrasse du dernier étage pour abriter les dieux. C'est à cet endroit que les prêtres faisaient offrandes et prières aux divinités. On appelle ces tours des ziggourats.

Dans le nord, le centre et le sud de l'Amérique, des peuples tels que les Aztèques et les Incas bâtissaient aussi des pyramides avec une terrasse au dernier étage (ci-contre). On enterrait parfois les gens dans les fondations, mais ces édifices n'étaient pas destinés aux sépultures. On érigeait les temples au sommet de ces constructions, où la nourriture, les animaux et parfois des êtres humains étaient offerts en sacrifice. Quant aux premiers Indiens d'Amérique, ils bâtissaient de grands monticules de terre pyramidaux, pour y enterrer leurs défunts ou y abriter leurs personnages sacrés.

Des pyramides POPULAIRES

Avant l'arrivée des colons européens au XVIe siècle, l'Amérique du Sud et l'Amérique centrale ont connu l'essor et la chute de nombreuses civilisations, parmi lesquelles les Olmèques, les Toltèques, les Mayas, les Incas et les Aztèques. Ces peuples ont commencé par construire de grands monticules de terre, avant de les transformer en pyramides.

Il s'agissait de lieux où dieux et individus pouvaient se retrouver. Les pyramides disposaient d'un temple au sommet, mais certaines possédaient des sépultures à la base. Les Européens ont malheureusement détruit des centaines d'anciennes cités et de nombreux trésors et objets ont disparu.

SACRIFICE ET CÉRÉMONIE
Pour honorer leurs dieux, les Mayas offraient leur propre sang lors de rituels bien particuliers. Parfois ils sacrifiaient des vies humaines en guise d'offrandes, croyant que les dieux avaient besoin de cœurs humains pour conserver leur force. Les sacrifices aztèques et mayas se déroulaient devant des monuments religieux ou sur la terrasse de pyramides telles que celle de Tikal, au Guatemala (ci-contre). On a découvert de mystérieux écrits pictographiques qui sont en cours de traduction.

LES BUTTES PYRAMIDALES INCAS
Au XVe siècle, les Incas régnaient sur une vaste région d'Amérique du Sud. Dans la ville de Cuzco au Pérou, ils construisirent un grand temple appelé le Coricancha (ci-contre) en hommage à leur divinité suprême, Inti. Ils y déposaient des aliments, de la bière et offraient des animaux en sacrifice.

UNE PYRAMIDE DES TEMPS MODERNES
C'est une pyramide de verre (ci-contre) qui constitue la nouvelle entrée du musée du Louvre à Paris.

*D'autres peuples momifiaient-ils leurs défunts ?
La momification est une pratique très ancienne de l'Amérique du Sud. Les momies du peuple nazca au Pérou datent d'environ 200 av. J.-C. à 500 apr. J.-C. Les humains offerts en sacrifice étaient parfois enterrés dans la cordillère des Andes, où leurs corps se conservaient naturellement dans la neige et la glace.*

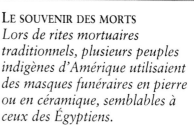

LE SOUVENIR DES MORTS
Lors de rites mortuaires traditionnels, plusieurs peuples indigènes d'Amérique utilisaient des masques funéraires en pierre ou en céramique, semblables à ceux des Égyptiens.

L'AMÉRIQUE DU NORD

Les Mississippiens, une peuplade indigène d'Amérique du Nord, bâtirent des villes entre 700 et 1500 apr. J.-C. Les bâtiments importants étaient placés sur de grandes buttes de terre (ci-dessus). Beaucoup enterraient leurs morts dans des monticules de terre, avec offrandes et objets précieux.

Une empreinte durable

Beaucoup d'architectes des temps modernes ont utilisé les formes pyramidales et les décors égyptiens dans leurs réalisations. À Las Vegas, on a construit un casino inspiré de la Grande Pyramide. De la même taille que la sépulture de Khéops, il est gardé par un Sphinx géant ! De nombreux décors, tels que ceux de l'Empire State Building de New York ou encore cet immeuble d'habitation de San Francisco (ci-dessous) s'inspirent directement des peintures égyptiennes des pyramides, tandis que carrelage et papier peint s'agrémentent de lotus décoratifs ou de motifs en feuilles de papyrus.

LES ÉDIFICES BIBLIQUES

Les premiers peuples de Mésopotamie érigeaient des temples en briques de terre sur des plates-formes elles-mêmes construites sur les ruines de temples plus anciens. Avec le temps, les plates-formes devinrent des tours à gradins semblables aux pyramides égyptiennes

primitives. On les appelle des ziggourats. La grande ziggourat d'Étemenanki fut construite par Nabuchodonosor (605-562 av. J.-C.), à Babylone. Elle abritait les célèbres jardins suspendus, l'une des Sept Merveilles du monde. Cette ziggourat a peut-être inspiré l'histoire de la tour de Babel (ci-dessus).

Une image ÉTERNELLE

C'est l'expédition de Napoléon, en 1798, qui va déclencher l'engouement pour l'Égypte antique. Il renaîtra après l'ouverture du canal de Suez en 1869, puis en 1922, avec la découverte du tombeau de Toutankhamon. Les gens se mettent à collectionner les antiquités égyptiennes et à visiter le pays. D'autres achètent des bijoux, des meubles, des bibelots (ci-dessous) ou... des immeubles !... d'inspiration égyptienne. Les images égyptiennes seront utilisées de diverses façons, même pour des objets qui n'ont rien à voir avec l'Égypte, comme cette publicité pour du maquillage (ci-dessus). De nos jours, on trouve des formes pyramidales et des motifs égyptiens dans de nombreux produits.

UNE COUTUME PERPÉTUELLE
Les souverains du Moyen Empire possédaient aussi leurs pyramides, bâties en briques de terre plutôt qu'en pierre. Sachant que celles-ci constituaient une proie facile pour les voleurs, ils choisirent un endroit retiré – la Vallée des Rois – pour construire des sépultures en pierre. La puissance des pyramides ne fut pas oubliée pour autant, car une montagne pyramidale, désormais, surplombait la vallée. Les ouvriers bâtisseurs de sépultures construisirent leur propre village à Deir el-Médineh. Leurs tombeaux étaient surmontés de mini-pyramides.

La Grande Pyramide est-elle vraiment imposante ? Ses côtés mesurent 229 m de long et sa hauteur un peu plus de 145 m. La base est si large qu'elle pourrait facilement contenir 8 terrains de football !

38

À QUOI SERVAIENT-ELLES ?
Une mosaïque de la cathédrale Saint-Marc, en Italie, représente la vision médiévale des pyramides : des greniers à céréales de l'Antiquité, construits par Joseph (ministre du pharaon). Elles sont dessinées avec des portes et des fenêtres, une idée que l'on retrouve dans plusieurs des tout premiers livres imprimés (voir l'illustration, qui date de 1694).

UNE UTILISATION SCANDALEUSE
Dans l'Europe du Moyen Âge, beaucoup de gens attribuaient aux momies des vertus curatives. On les broyait en fine poudre que l'on mélangeait à des remèdes. En France, le roi François Ier (ci-dessous) se flattait d'utiliser de la poudre de momie en guise de fortifiant ! Au XIXe siècle, des morceaux de momies servaient de décoration et lorsqu'on déroulait les bandelettes, c'était un véritable événement mondain ! De nos jours, la cryogénie permet de "congeler" les gens à leur mort dans un caisson spécial, en espérant les faire revivre dans le futur.

Encore des découvertes en perspective ?

Malgré des siècles d'exploration et de découvertes, de nombreux mystères demeurent. Beaucoup de sites archéologiques doivent encore être fouillés. Par exemple, les vestiges du temple de la vallée de Khéops et une ancienne boulangerie ont été déterrés il y a peu de temps ; de même qu'en 1995, on faisait une stupéfiante découverte dans la Vallée des Rois : les tombeaux en pierre de taille de plusieurs fils du pharaon Ramsès II. Chaque année, de nouvelles hypothèses tentent d'expliquer le pourquoi et le comment de la construction des pyramides. Le robot *UPUAUT II* a du reste prouvé qu'il restait énormément de secrets à percer. Quoi qu'il advienne, les mystères des pyramides continueront longtemps de nous fasciner.

HISTO

Vers 5000-3000 av. J.-C. **Période prédynastique**
Formation de la Basse et de la Haute-Égypte

Vers 3300-2800 av. J.-C. **Période archaïque**
(Iʳᵉ à IIIᵉ dynastie)
Vers 2800 Djoser
Unification de la Basse et de la Haute-Égypte

Vers 2720-2300 av. J.-C. **Ancien
Empire (IVᵉ à VIᵉ dynastie)**
Vers 2680 Construction de
pyramides à degrés
Vers 2650-2609 av. J.-C. Règne des trois
pharaons Khéops, Khéphren et Mykérinos.
Vers 2580 Construction de la Grande
Pyramide

Vers 2300-2065 av. J.-C. **Première période
intermédiaire (VIIᵉ à Xᵉ dynastie)**
Fin du règne des pharaons

Vers 2065-1785 av. J.-C. **Moyen Empire
(XIᵉ à XIIᵉ dynastie)**
Vers 2040 Réunification de l'Égypte

Vers 1785-1580 av. J.-C. **Seconde période intermédiaire (XIIIᵉ à XVIIᵉ dynastie)**
Des étrangers, les Hyksos, envahissent l'Égypte ; ils en seront chassés plus tard
par Amôsis, fondateur du Nouvel Empire

Vers 1580-1085 av. J.-C. **Nouvel Empire (XVIIIᵉ à XXᵉ dynastie)**
Les pharaons sont enterrés dans la Vallée des Rois

Vers 1085-663 av. J.-C. **Troisième
période intermédiaire (XXIᵉ à XXVᵉ
dynastie)**

Vers 664-332 av. J.-C. **Basse Époque
(XXVIᵉ à XXXᵉ dynastie)**
Vers 525-404 et 341-332 Les Perses prennent
possession de l'Égypte

605-562 **av. J.-C.** La cité de Babylone est
reconstruite

RIQUE

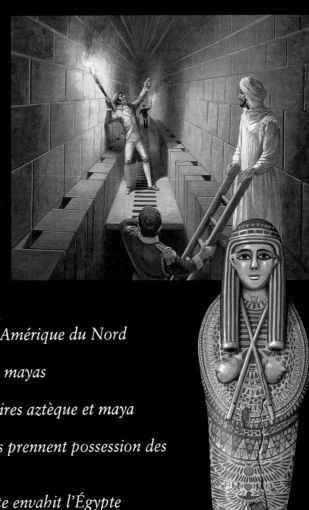

332 av. J.-C. *Conquête de l'Égypte par Alexandre le Grand*

323-30 av. J.-C. *Les Ptolémées dirigent l'Égypte*

31 av. J.-C. *L'Égypte fait partie de l'Empire romain*

250-900 apr. J.-C. *Apogée de l'Empire maya*

639-642 *Les forces arabes envahissent et dirigent l'Égypte*

700-1200 *Construction de monticules de terre en Amérique du Nord*

950-1200 *Les Toltèques envahissent les territoires mayas*

Années 1400 *Expansion des Empires aztèque et maya*

Années 1500 *Les Espagnols prennent possession des empires sud-américains*

1798 *Napoléon Bonaparte envahit l'Égypte*

1799 *Découverte de la pierre de Rosette dans le nord de l'Égypte*

1819 *Giovanni Caviglia ouvre la Grande Pyramide de Khéops*

1822 *Traduction des hiéroglyphes*

1850 *Auguste Mariette procède aux fouilles de Sakkara*

1880-1881 *Petrie fait le relevé topographique de toutes les pyramides de Gizeh*

1900 à nos jours *Fouilles archéologiques à Sakkara et à Gizeh*

1922 *Découverte du tombeau de Toutankhamon*

1994 *Le robot-caméra UPUAUT II découvre une minuscule porte dans l'ouverture de la chambre de la reine de la Grande Pyramide, à Gizeh*

SOLEIL

VÉNUS
Sphère rocheuse ; noyau liquide
Diamètre : 12 102 km
Distance du Soleil :
108 millions de km
Nombre de lunes : 0

MERCURE
Sphère rocheuse ; noyau riche en fer
Diamètre : 4 878 km
Distance du Soleil : 58 millions de km
Nombre de lunes : 0

LA TERRE
Sphère rocheuse, noyau
métallique
Diamètre : 12 756 km
Distance du Soleil : 150 millions de km
Nombre de lunes : 1

MARS
Sphère rocheuse ; noyau riche en fer
Diamètre :
6 786 km
Distance du Soleil :
228 millions de km
Nombre de lunes : 2

JUPITER *(ci-contre, à droite)*
Gaz et liquides gazeux : petit noyau rocheux
Diamètre : 142 984 km
Distance du Soleil : 778 millions de km
Nombre de lunes : 16

SATURNE
Gaz et liquides
gazeux ; petit
noyau rocheux
Diamètre :
120 000 km

Distance du Soleil :   *Nombre de lunes : 18*
1 427 millions de km

NEPTUNE
Sphère gazeuse :
noyau de métal
Diamètre : 50 000 km
Distance du Soleil :
4 497 millions de km
Nombre de lunes : 8

URANUS
Gaz ; noyau
rocheux
Diamètre : 51 118 km
Distance du Soleil : 2 871 millions de km
Nombre de lunes : 15

PLUTON
Sphère de roches et de
glace
Diamètre : 2 284 km
Distance du
Soleil : 5 914 millions de km
Nombre de lunes : 1

L'UNIVERS

« *Depuis la nuit des temps, les hommes ont cherché à comprendre l'inexplicable. De nos jours, nous avons toujours soif de découvrir nos origines et de connaître la raison de notre présence ici-bas. Et tout cela se résume ni plus ni moins à une description de l'Univers dans lequel nous vivons.* » Stephen Hawking, Une brève histoire du temps.

INTRODUCTION

Depuis toujours, les mystères de la nuit étoilée fascinent les scientifiques, les écrivains, les artistes et bien d'autres gens encore. Chaque civilisation aura tenté de comprendre notre Univers, mais si de grandes découvertes ont été faites, il nous reste encore un long chemin à parcourir avant de percer tous les secrets du cosmos. Le XXe siècle a été le témoin d'énormes progrès dans l'exploration de l'espace, tandis que de nouvelles technologies, de plus en plus complexes, naissent ici et là, afin de satisfaire notre quête de la connaissance.

Notre Univers fourmille de satellites, de sondes et de télescopes, dont tous visent le même objectif : élucider les inextricables secrets de l'espace. Quand et comment l'Univers a-t-il débuté ? Allons-nous un jour découvrir la vie dans d'autres galaxies ? Grâce aux trous noirs pouvons-nous voyager dans le temps ? Existe-t-il une dixième planète dans notre système solaire ? Notre Univers va-t-il grossir de plus en plus ou au contraire se comprimer et finir par éclater en une gigantesque collision de galaxies ("Big Crunch") ? Nous connaîtrons peut-être un jour la réponse à ces questions et aux milliers d'autres qui intriguent l'être humain depuis des siècles. Pour l'heure, nous tenterons seulement de nous glisser au cœur des mystères de notre Univers...

« La nouveauté de ces découvertes m'attire les foudres d'un nombre non négligeable de professeurs... comme si j'avais de mes propres mains placé ces choses dans le ciel, en vue de bouleverser la nature et la science ! »
Galilée.

Le mystérieux UNIVERS

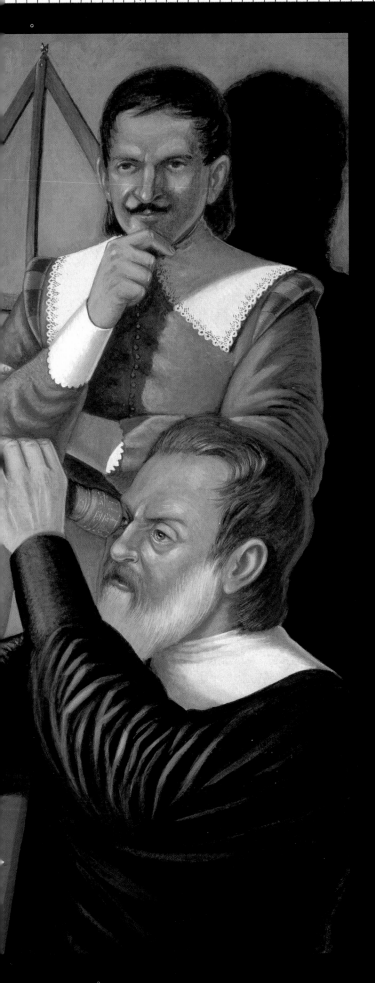

Galilée (1564-1642) est le premier astronome à observer le ciel au télescope. Le 7 janvier 1610, ce qu'il aperçoit en braquant sa lunette astronomique sur la planète Jupiter le plonge dans la stupéfaction. «Quatre petites étoiles» apparaissent bien visibles, en orbite rapprochée. Elles comptent parmi les nombreuses lunes (16 au total) de Jupiter. Leur découverte constitue un véritable défi au christianisme, qui prétend que la Terre se trouve au centre de l'Univers. Désormais, on détient la preuve du contraire.

D'autres savants ont avancé des idées similaires, comme le prêtre polonais Nicolas Copernic, mais Galilée possède des preuves tangibles. Le pape Urbain VIII déclare que sa théorie est « fausse et absurde». Galilée persiste et publie, en 1623, un ouvrage intitulé *L'Essayeur,* soutenant les thèses de Copernic. Le pape le menace de torture s'il ne renonce pas à ses idées. Mais, en 1632, il écrit le *Dialogue sur les deux principaux systèmes du monde.* Cette fois, il n'échappera pas au tribunal de l'Inquisition qui le fait abjurer. Galilée a cédé en murmurant : «*Eppur', si muove !*» («Et pourtant, elle tourne !»). Le malheureux demeurera en résidence surveillée jusqu'à sa mort en 1642.

Les premiers MYSTÈRES

Depuis l'aube de l'humanité, les hommes sont fascinés par les mystères du ciel. Les Grecs de l'Antiquité et les anciens Babyloniens seront les premiers à diviser les étoiles et le ciel en groupes, appelés constellations, que nous utilisons encore aujourd'hui. Ils observent aussi le mouvement des planètes et étudient l'arrivée des comètes et le comportement des supernovae (les étoiles qui explosent). On pense que les pyramides égyptiennes et le cercle de pierre de Stonehenge, en Grande-Bretagne, ont été inspirés par des événements liés à l'astronomie. Pourtant, ces peuples anciens n'ont à l'époque aucune idée de la composition ou de la taille de l'Univers. Ils pensent que la Terre est plate, sous la voûte céleste étoilée qui tourne autour de la planète une fois par jour.

LE CULTE DU DIEU SOLEIL
Les Égyptiens croyaient que le ciel n'était autre que la déesse Nout (ci-contre) qui étirait son corps au-dessus de la Terre. Rê (ou Râ) était le dieu Soleil qui traversait le ciel dans sa barque céleste une fois par jour. Lorsque des souverains décédaient, on plaçait souvent des bateaux dans leurs sépultures, afin qu'ils puissent rejoindre le dieu Rê.

L'EMPLACEMENT DE LA TERRE
La plupart des anciens Grecs pensaient que la Terre se trouvait au centre de l'Univers. Ptolémée (vers 90-168 apr. J.-C.), un astronome grec, affirmait que les étoiles et les planètes tournaient en cercle autour de la Terre, car le cercle était une forme parfaite, créée par les dieux. Pendant plus de 1 500 ans, les hommes ont accepté sa manière de décrire le fonctionnement de l'Univers.

DÉCOUVERTES DES ANCIENS
Le philosophe grec Aristote (384-322 av. J.-C.) prouva que la Terre était ronde. Il expliqua que lorsque l'ombre de la Terre passe devant la Lune, au cours des éclipses (voir page 57), ses bords apparaissent courbes, ce qui prouve sa forme sphérique.

LE DIVIN SOLEIL

Pendant des milliers d'années, différents peuples ont adoré le Soleil à l'égal d'un dieu. Les hindous l'appelaient Sûrya. C'était l'un des trois principaux dieux de leur Livre de la connaissance divine. Au Vᵉ siècle av. J.-C., les Grecs associaient le Soleil au dieu Apollon.

Combien d'étoiles dans le ciel ?
À l'œil nu, nous apercevons environ 2 000 étoiles, lorsque la nuit est claire. Mais notre galaxie en contient déjà 100 000 millions à elle seule ! Tout l'Univers doit sans doute englober un milliard d'un billion (million de million) d'étoiles, soit :
1 000 000 000 000 000 000 000 d'entre elles !

DES LUMIÈRES DANS LE CIEL

Jadis, des phénomènes étranges dans le ciel semaient la panique et la frayeur parmi les gens, car ces derniers y voyaient de mauvais présages. Les comètes terrorisaient bon nombre de personnes, tandis que les aurores boréales ou les apparitions naturelles de lumières colorées étaient perçues comme la manifestation de la colère des dieux.

Les prévisions astrologiques

L'astrologie se fonde sur une ancienne croyance qui prétend que les étoiles et les planètes contrôlent notre vie. Les signes du zodiaque représentent les douze constellations d'étoiles que le Soleil traverse chaque année. Un astrologue établit votre horoscope à partir de la position des planètes à votre date de naissance et peut ainsi prédire votre avenir.

LA TERRE EST RONDE

La Terre semble plate, mais Aristote a découvert qu'en réalité ce n'était pas le cas. Il savait qu'on ne pouvait pas voir le même nombre d'étoiles selon l'endroit où l'on se trouve. Ainsi, la scintillante étoile Canope peut s'apercevoir dans le ciel d'Égypte, mais pas en Grèce. Ce qui ne se produirait pas si la Terre était plate.

LE BONHEUR EST DANS LE CIEL

Les peuples anciens représentaient le ciel comme une voûte parsemée d'étoiles, guère plus haute que les montagnes les plus élevées. De nombreuses religions affirment que les cieux renferment un monde meilleur, que nous rejoignons à notre mort, à condition d'avoir eu une bonne conduite de notre vivant. Ceux qui auront fait preuve de méchanceté seront condamnés à vivre dans les entrailles de la terre !

Théories et
IDÉES NOUVELLES

Copernic (1473-1543), le premier, va remettre en cause la théorie de Ptolémée, selon laquelle la Terre se trouve au centre de l'Univers. Il se rend compte que l'on explique plus facilement le mouvement des planètes si le Soleil se trouve au centre. Craignant l'avis des théologiens, il ne publiera son œuvre que quelques jours avant sa mort. À l'instar de Ptolémée, Copernic pense que les planètes se déplacent en décrivant des cercles, mais Johannes Kepler (1571-1630) démontrera que leurs orbites sont elliptiques (elles décrivent un ovale). Pour expliquer cette théorie, Isaac Newton (1642-1727) va établir la loi de l'attraction universelle (la force de gravité qui attire les objets les uns vers les autres). Enfin, au XXe siècle, les théories d'Albert Einstein mettront en relation la gravité (ou pesanteur), l'espace et le temps pour expliquer la forme de l'Univers.

REDÉFINIR L'UNIVERS
Copernic ne soutenait pas la théorie de Ptolémée, selon laquelle les étoiles décrivaient un cercle autour de la Terre, à raison d'une fois par jour. Il comprit du même coup que ceci ne pouvait pas expliquer tous les mouvements du Soleil, de la Lune et des planètes. Selon lui, la Terre n'était qu'une planète ordinaire et non pas le centre de l'Univers.

Quelle est la taille de l'Univers ?
L'Univers est si grand que la lumière, qui se déplace à la vitesse de 300 000 km par seconde, mettrait des milliards d'années pour parvenir jusqu'à nous.

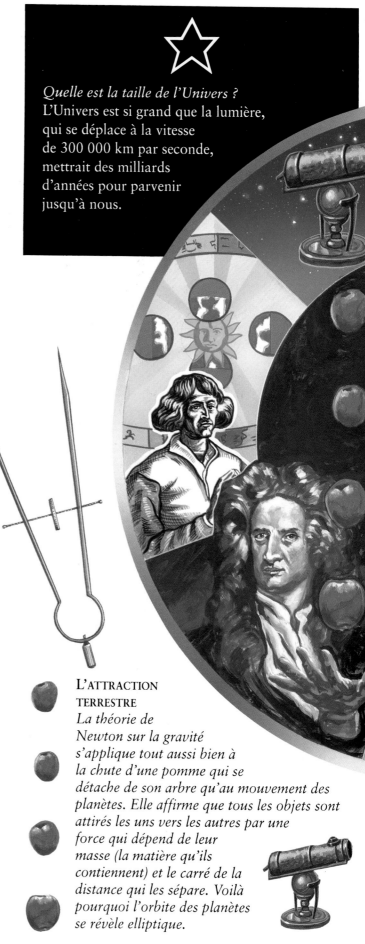

L'ATTRACTION TERRESTRE
La théorie de Newton sur la gravité s'applique tout aussi bien à la chute d'une pomme qui se détache de son arbre qu'au mouvement des planètes. Elle affirme que tous les objets sont attirés les uns vers les autres par une force qui dépend de leur masse (la matière qu'ils contiennent) et le carré de la distance qui les sépare. Voilà pourquoi l'orbite des planètes se révèle elliptique.

PREMIÈRES OBSERVATIONS

Galilée utilisa sa lunette astronomique pour confirmer la théorie de Copernic, qui place le Soleil au centre de l'Univers. Le principe fut inventé en 1608 par un oculiste hollandais, Hans Lippershey, qui appelait cela un "viseur". Il avait découvert qu'en plaçant deux lentilles de verre dans un tube, on pouvait grossir des objets situés à distance. Lorsque Galilée en entendit parler, il fabriqua aussitôt sa propre lunette, laquelle lui permit de faire ses extraordinaires découvertes.

OBSERVER L'ESPACE

L'astronome danois Tycho Brahé (1546-1601) construisit un observatoire et étudia avec précision les étoiles et les planètes. Plus tard, son assistant, Johannes Kepler, utilisa ses notes pour démontrer que les planètes décrivaient une orbite elliptique et non pas circulaire.

UN GÉNIE DES TEMPS MODERNES

Albert Einstein (1879-1955) fut l'un des plus grands physiciens du XXe siècle. Sa théorie associe l'espace et le temps en une seule entité : l'espace-temps, précisément. La gravité fonctionne en déformant cet espace-temps, ce qui entraîne les objets à suivre une courbe.

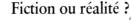

Fiction ou réalité ?

Parmi les prédictions les plus fantaisistes de la science-fiction, certaines, pourtant, se sont réalisées. Toutefois, nous n'avons toujours pas rencontré d'extraterrestres ou inventé un système de propulsion permettant de nous déplacer à la vitesse de la lumière. Selon Einstein, il est impossible d'atteindre une telle vitesse (300 000 km/seconde) ; la majeure partie de l'Univers demeurera donc toujours hors de notre portée.

« *Tant que la Lune se lèvera,*
Tant que les rivières couleront,
Tant que le Soleil brillera,
Tant que l'herbe poussera. »
Poème des Indiens d'Amérique, destiné
aux accords conclus pour l'éternité.

Le système SOLAIRE

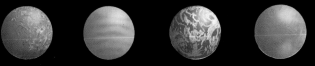

Une étoile, neuf planètes et toute une série d'astéroïdes, des comètes et des lunes... cet ensemble forme notre système solaire, l'unique partie de l'Univers à se trouver dans le rayon d'action d'un vaisseau spatial moderne. Seule la Terre offre les conditions nécessaires à notre vie, selon la connaissance que nous avons de son évolution. Au centre du système solaire se trouve le Soleil, l'étoile autour de laquelle gravitent les neuf planètes.

Ces planètes sont rondes, ce qui suppose qu'elles étaient à l'origine constituées d'un disque de poussière et de gaz, en rotation autour du Soleil. La plupart d'entre elles disposent de leurs propres lunes (voir page 42). Entre les orbites de Mars et de Jupiter, on dénombre plus de 3 500 astéroïdes (blocs rocheux) recensés à ce jour, qui mesurent de 1,7 km à 1 035 km de diamètre. Il existe sans doute des milliers d'astéroïdes de moindre importance et trop minuscules pour être vus depuis la Terre. Certaines rumeurs laissent penser qu'il existerait une dixième planète au-delà de Pluton.

Le Soleil et ses PLANÈTES

Le Soleil est le centre et la source d'énergie du système solaire. Son volume représente un million de fois celui de la Terre, tandis que sa masse n'est que 330 000 fois supérieure à celle de notre planète et contient principalement des gaz : de l'hydrogène et de l'hélium. Son énergie provient de la fusion des atomes d'hydrogène. À la surface du Soleil, la température atteint les 5 500 °C, mais son centre se révèle encore plus chaud avec 15 millions de °C ! La Terre gravite autour du Soleil en une année, à une distance de 150 millions de km. Dans un vaisseau spatial qui avancerait à la vitesse d'une voiture moyenne, il faudrait un siècle pour couvrir la distance de la Terre au Soleil !

ATTENTION :
NE JAMAIS REGARDER LE
SOLEIL EN FACE !

Le Soleil sera-t-il un jour à court d'énergie ? Oui, mais pas avant longtemps. Chaque seconde, 600 millions de tonnes d'hydrogène se transforment en hélium. Dans environ cinq milliards d'années, l'énergie n'y sera plus produite, le Soleil cessera d'irradier et toute forme de vie sur la Terre disparaîtra.

Voir la description des diverses planètes, page 42.

UNE VÉRITABLE CENTRALE ÉLECTRIQUE !
Chaque seconde, le Soleil transforme quatre millions de tonnes de ses gaz en énergie. En surface, des explosions de gaz et d'énergie, appelées flamboiements et protubérances, sont si intenses qu'elles peuvent provoquer des orages magnétiques sur la Terre.

LE DIEU SOLEIL
Les Aztèques croyaient que leur monde avait débuté lorsque les dieux s'étaient sacrifiés pour donner naissance au Soleil. Pour aider cette divinité dans ses combats nocturnes contre la Lune et les étoiles, les Aztèques bâtirent de gigantesques temples, où sacrifices et prières se succédaient.

LES PLANÈTES INFÉRIEURES

Les quatre planètes les plus proches du Soleil sont Mercure, Vénus, la Terre et Mars. Constituées de roche et de métal, on les appelle souvent les planètes terrestres, car elles ressemblent à la nôtre.

Mercure

Vénus

la Terre

Mars

Mercure est petite, déserte et si proche du Soleil que sa surface peut atteindre des températures de 427 °C. Vénus, d'une taille comparable à celle de la Terre, a une atmosphère composée d'épais nuages d'acide sulfurique, ce qui rend cette planète plus chaude que Mercure. Mars est recouverte de rochers et de poussière rouges. Son atmosphère est légère et elle dispose de pôles glacés, tels que nos pôles Nord et Sud.

Le nom des planètes

Outre la Terre, les Romains et les Grecs de l'Antiquité ne connaissaient que cinq planètes auxquelles ils attribuaient des noms de dieux. Mercure était le dieu romain du commerce ; Vénus (à droite), la déesse de l'amour, et Mars, le dieu de la guerre. Quant à Jupiter, il régnait sur les intempéries, tandis que Saturne était le père de tous les dieux. Les autres planètes, découvertes plus tard, portèrent aussi des noms de divinités.

Uranus

Saturne

Jupiter

Neptune

Pluton

LES PLANÈTES SUPÉRIEURES

Jupiter, Saturne, Uranus et Neptune sont d'énormes planètes à gravitation rapide, qui se composent principalement de gaz et de liquides. Elles ne disposent pas d'une surface solide, aucun vaisseau spatial ne pourrait donc s'y poser.

Pluton, toutefois, est petite, glacée et solidifiée. Saturne, avec ses spectaculaires anneaux, est la plus belle de toutes. Formés de poussière et de morceaux de glace, ses célèbres anneaux dépassent les 280 000 km de largeur pour seulement 18 à 30 m d'épaisseur. Saturne est si légère qu'elle pourrait flotter à la surface de l'eau !

Les mystérieuses
L U N E S

La Lune, notre voisine la plus proche
(le seul astre que les hommes aient
"visité" jusqu'ici), ne se trouve qu'à
environ 384 400 km de nous... ce qui
n'est guère éloigné dans l'espace.
La lumière froide de la Lune, ses formes
changeantes et ses motifs en surface
nous fascinent depuis toujours.
De nombreuses civilisations ont vénéré
cet astre comme un dieu. Aucune autre
planète inférieure ne possède une lune
telle que la nôtre : Mercure et Vénus
n'en n'ont aucune, tandis que les deux
lunes de Mars sont minuscules.
Les planètes supérieures possèdent tant
de lunes que certaines demeurent encore
à découvrir ; parmi celles que l'on a
recensées, seulement quatre sont plus
grosses que la nôtre.

LES CHANGEMENTS DE LUNE
*La Lune ne brille pas, mais elle
réfléchit la lumière du Soleil.
Les phases lunaires (changements
de lune) sont dues aux positions
de la Terre, du Soleil et de la
Lune elle-même. À la nouvelle
lune, la partie éclairée par le
Soleil "tourne le dos" au Soleil,
si bien que nous apercevons
à peine sa surface (image du
haut). À mesure que la Lune
gravite autour de notre planète,
sa face exposée à la Terre
s'éclaire de plus en plus, jusqu'à
la pleine lune (image du bas).*

« L'AIGLE S'EST POSÉ »
*Le 21 juillet 1969, des hommes
foulent le sol lunaire pour la
première fois. Le vaisseau spatial
américain Apollo 11 a déposé Neil
Armstrong et "Buzz" Aldrin dans
une plaine appelée mer de la
Tranquillité, puis il les a ramenés sains
et saufs sur la Terre. Jusqu'en 1972, dix autres
astronautes auront marché sur la Lune, mais
personne n'y est retourné depuis. Les missions
Apollo nous ont permis de découvrir que
la Lune était criblée de cratères et de
rochers tout à fait semblables à
ceux que l'on trouve sur la Terre.*

LA FACE VISIBLE
DE NOTRE LUNE
*Le même temps est
nécessaire à la Lune pour
tourner sur elle-même
que pour graviter autour
de la Terre, si bien
qu'elle nous montre
toujours la même face.
Sa surface est parsemée
de cratères, points
d'impact de rochers qui
s'y sont écrasés.
Des volcans ont
aussi modelé son
apparence, en déversant
de la lave en fusion pour créer
des plaines ou "mers" qui n'ont jamais
contenu d'eau. Tout au long de l'Histoire,
les gens ont cru
apercevoir des
motifs à la
surface de la
Lune, tels que
des animaux ou
des visages. Dans la
mythologie égyptienne, la Lune
symbolisait l'œil gauche du dieu
Horus.*

DE QUOI SE COMPOSE-T-ELLE ?
Nous nous sommes toujours demandé à quoi ressemblait la surface de la Lune. Depuis les expéditions Apollo, nous savons que son sol se compose d'une fine poudre rocheuse.

Des ombres dans l'espace
Les éclipses solaires surviennent lorsque le Soleil, la Lune et la Terre se retrouvent dans le même alignement. La Lune masque le Soleil (ci-dessous). Les anciens Chinois croyaient que les éclipses solaires étaient des dragons qui dévoraient le Soleil. Lors des éclipses lunaires, en revanche, c'est la Lune qui traverse l'ombre de la Terre.

LES AUTRES LUNES
De nombreuses autres planètes possèdent des lunes. Ganymède, la plus grosse lune du système solaire, gravite autour de Jupiter ; avec ses 5 260 km de diamètre, sa taille est une fois et demie supérieure à celle de notre Lune. Titan, la plus grosse lune de Saturne, est la seule à disposer d'une atmosphère dense. Par ailleurs, la plupart des lunes de Jupiter et de Saturne sont désertiques (ci-contre et ci-dessus).

D'où vient la Lune ?
Nul ne le sait réellement. L'hypothèse la moins contestée affirme que la Lune se serait formée lors d'une collision entre un énorme astéroïde et la Terre. Sous le choc, des débris rocheux ont été projetés de la Terre pour former un anneau qui, plus tard, a formé la Lune. Une autre théorie insinue que la Lune se trouvait à l'origine dans un autre endroit du système solaire et que la pesanteur l'aurait ensuite attirée vers la Terre.

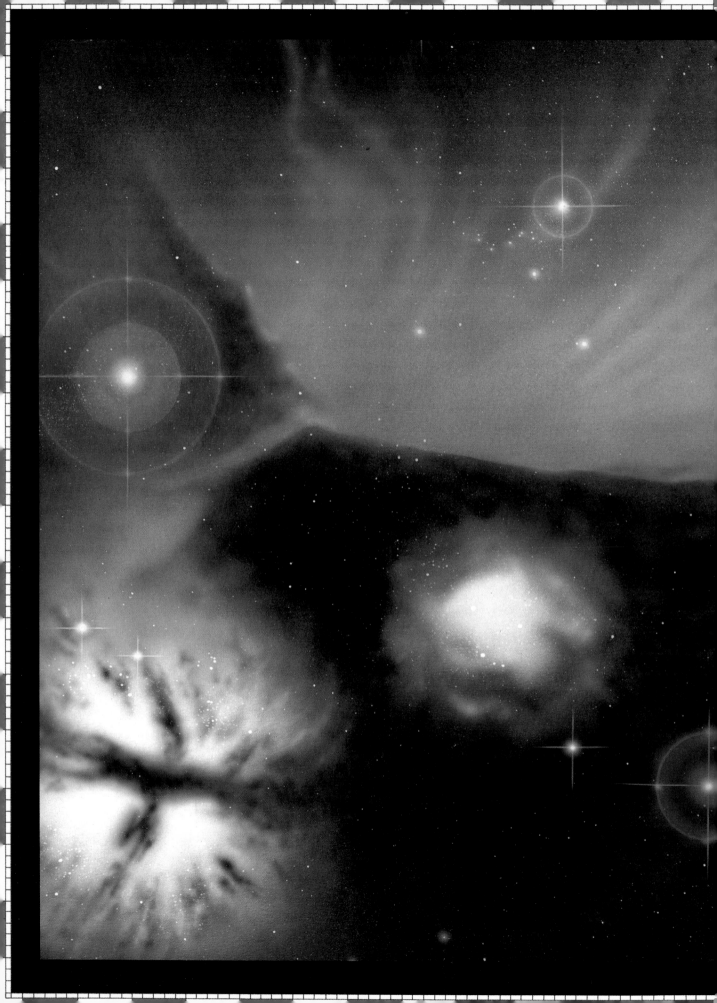

Étoiles et GALAXIES

Le système solaire est vaste, mais il est minuscule en comparaison des distances qui séparent les étoiles. Celles-ci sont si éloignées que même observées avec le plus puissant des télescopes terrestres, on n'apercevra que des points lumineux.

Dans l'espace, les étoiles ne se répartissent pas de façon uniforme, mais elles sont rassemblées en grands groupes : les galaxies (ou nébuleuses). La Voie lactée, notre galaxie, englobe 100 000 millions d'étoiles. En voyageant à la vitesse de la lumière, il faudrait plus de quatre ans pour atteindre la plus proche, mais l'on mettrait à peine huit minutes pour rejoindre notre propre étoile, le Soleil. Parvenir à Andromède, la plus proche des galaxies après la Voie lactée, prendrait 2,2 millions d'années !

Les étoiles ne brillent pas toutes avec la même intensité ; cela dépend de leur éloignement. Les plus étincelantes, qui s'observent à l'œil nu, ont leur propre nom et sont regroupées en constellations. Au sein d'une même constellation, les étoiles paraissent proches les unes des autres, mais certaines sont plus éloignées de notre Terre que d'autres.

« Lève-toi ! Car le matin, dans la coupe
de la nuit,
A lancé la pierre qui dissipe les étoiles
Et regarde ! Le chasseur du Levant
a saisi
La tourelle du sultan dans un anneau
de lumière. »
Omar Khayyam (v. 1050 - v.1123),
d'après la traduction
d'Edward Fitzgerald.

Comètes et ÉTOILES FILANTES

Autrefois, on confondait les comètes avec les étoiles. Elles effrayaient les gens qui voyaient en leur passage l'annonce d'un terrible événement, telle la mort d'un souverain. Nous savons à présent que les comètes sont des masses glacées vagabondes, en provenance des confins du système solaire. Elles deviennent visibles lorsque le Soleil les réchauffe, en transformant leur glace en vapeur, ce qui crée une queue dans leur sillage. Lorsque la Terre traverse la poussière laissée par une comète, les particules se désintègrent dans l'atmosphère sous la forme de météores.

QU'EST-CE QU'UNE COMÈTE ?

C'est une sorte de grosse boule de glace, de poussière et de suie. Sa taille peut être celle d'une maison ou atteindre quelques kilomètres de large. Elle est pourtant trop petite pour être aperçue, sauf lorsqu'elle passe près du Soleil. À mesure qu'elle s'en approche, la chaleur de notre étoile transforme la glace en gaz ou en vapeur. Ce qui crée une sorte de nuage rougeoyant et une longue queue brillante, toujours dans le sillage de la comète, tandis qu'elle traverse le système solaire. À ce stade, il est possible d'observer celle-ci depuis la Terre. Selon les scientifiques, il existe sans doute des millions de comètes dans le cosmos.

Une visite périodique

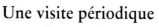

La plus célèbre des comètes est la comète de Halley, qui réapparaît tous les soixante-seize ans. Elle doit son nom à l'astronome Edmund Halley (1656-1742). En 1986, la sonde spatiale Giotto l'a examinée et l'on a découvert que la comète avait la forme d'une gigantesque "cacahuète" de 15 km de long sur 8,3 km de large.

LES COMÈTES DANS L'HISTOIRE

Les textes les plus anciens ont toujours signalé les passages de comètes. Ainsi, l'étoile qui apparaît selon la Bible à la naissance du Christ, pourrait très bien être une comète. De même, la célèbre tapisserie de Bayeux représente des gens du Moyen Âge qui s'émerveillent de la comète de Halley, lors d'un de ses passages, en 1066.

Combien d'étoiles filantes dans le ciel ?
Chaque jour, 300 tonnes de poussière et de roches se désagrègent dans l'atmosphère terrestre. La plupart se composent de minuscules particules qui se désintègrent en météores. Cela ressemble à des traînées lumineuses dans le ciel, d'où l'expression "étoiles filantes". En une heure, un observateur peut apercevoir une dizaine d'étoiles filantes.

DES DRAGONS DANS LE CIEL

Les météorites sont des blocs rocheux en provenance d'astéroïdes du système solaire. Trop volumineux pour se désintégrer en pénétrant dans l'atmosphère terrestre, ils tombent en heurtant le sol. On les aperçoit nettement dans le ciel et ils ont toujours effrayé les hommes. Souvent, on les a pris pour d'énormes et féroces dragons venus attaquer le monde ou encore pour des armes vengeresses des dieux en colère venus détruire la Terre.

COLLISION SIDÉRALE

En juillet 1994, la comète Shoemaker-Levy plonge dans l'atmosphère de Jupiter. Bien qu'elle se brise en mille morceaux avant de heurter la planète, elle provoquera plusieurs explosions.

SOMMES-NOUS EN DANGER ?

Il y a environ 50 000 ans, une grosse météorite a heurté l'Arizona, créant ainsi un vaste cratère. Si une gigantesque météorite venait à percuter la Terre, ce serait la fin du monde.

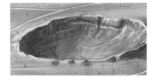

Patatras !

En 1908, une grosse météorite s'écrase en Sibérie, près de Tunguska, détruisant plusieurs hectares de forêts, et laissant derrière elle un paysage totalement dévasté. Aussi incroyable que cela puisse paraître, personne ne fut blessé.

Les ciels
ÉTOILÉS

Comme les êtres humains, les étoiles naissent, vieillissent et meurent. En observant attentivement le ciel, nous pouvons apercevoir des étoiles de tout âge. Celles-ci se composent de nuages de gaz d'hydrogène qui se compriment sous la pesanteur. Elles produisent d'énormes quantités d'énergie en convertissant l'hydrogène en hélium. Vers la fin de leur existence, les étoiles géantes se transforment en substances encore plus lourdes. Finalement, celles-ci éclatent en provoquant de gigantesques explosions appelées supernovae, dispersant ainsi des éléments comme le carbone, le silicium, le fer et l'oxygène dans l'espace. De nouvelles étoiles et planètes naissent ensuite à partir de ces fragments. La Terre et tout ce qui la compose (y compris nous-mêmes) ne sont en fait que du "matériau recyclé" d'étoiles mortes depuis longtemps.

NAINES ET GÉANTES

Une étoile géante subit une énorme pression dans son noyau. Elle peut finir sa vie en supernova, laissant dans son sillage une minuscule étoile à neutrons ou encore un trou noir. Les toutes petites étoiles peu brillantes ou "naines brunes" ne deviennent jamais de véritables étoiles. Leur intensité s'affaiblit peu à peu et elles s'éclipsent pour devenir des "naines noires".

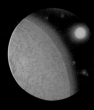

Dans le vide

Après l'explosion d'une gigantesque étoile, le noyau demeure et se comprime en un point minuscule : le trou noir. La force de gravité y est si puissante que même la lumière ne peut s'en échapper.

LA VIE D'UNE ÉTOILE

À l'origine, il s'agit d'un nuage de gaz et de poussières qui s'attirent par la force de gravité pour constituer une étoile. À la fin de sa vie, celle-ci s'enfle en une "géante rouge", puis explose à l'extérieur de ses couches de gaz pour ne laisser qu'une minuscule "naine blanche". Même notre bon vieux Soleil finira ses jours de cette façon.

UNE DÉCOUVERTE SCIENTIFIQUE

Sir Arthur Eddington (1882-1944) fut l'un des premiers scientifiques à comprendre que les mystérieuses spirales que l'on voyait dans le ciel étaient des galaxies. En observant la lumière suivre une courbe, lors d'une éclipse en 1919, il put vérifier que la théorie d'Einstein sur la pesanteur était juste. Eddington rédigea plusieurs ouvrages célèbres, expliquant la nature de l'Univers de façon simple et compréhensible.

NOTRE GALAXIE

La Voie lactée est une nébuleuse spirale. Notre système solaire constitue l'un des "bras" de la galaxie ; il se situe à environ deux tiers de l'endroit où l'on sort de la nébuleuse.

LES PULSARS

Il existe des étoiles très denses, dites "à neutrons" et mesurant une vingtaine de kilomètres de large. Elles tournent rapidement sur elles-mêmes et émettent des signaux radioélectriques réguliers captés par de puissants récepteurs terrestres ; d'où leur appellation de pulsars (contraction de pulsating stars en anglais).

DES MOTIFS DANS L'ESPACE

Les galaxies se classent en quatre catégories.

Les nébuleuses spirales ressemblent un peu aux soleils des feux d'artifice et regroupent de jeunes étoiles. Les galaxies elliptiques englobent de vieilles étoiles, tandis que les galaxies barrées possèdent une ligne épaisse en leur milieu. Enfin, la dernière catégorie correspond aux nébuleuses irrégulières, dont la forme varie selon le nombre d'étoiles qu'elles contiennent.

Que se passerait-il si vous tombiez dans un trou noir ? Vous seriez happé comme un spaghetti, car l'une des deux extrémités de votre corps subirait une attraction plus forte que l'autre. Et pfft ! Plus personne à l'horizon ! Nul ne peut s'échapper d'un trou noir – même pas la lumière – une fois qu'il en a franchi l'accès !

LES CONSTELLATIONS

On a recensé 88 constellations dans l'Univers. Chacune possède sa propre zone dans le ciel, dont on a établi la carte en 1930. Les constellations sont utiles pour trouver son chemin dans le ciel.

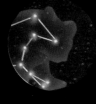

L'ÉTOILE LA PLUS SCINTILLANTE

Eta Carinae est l'étoile la plus lumineuse que l'on connaisse. Elle est sans doute 150 fois plus grosse que le Soleil et six millions de fois plus brillante !

L'exploration de L'UNIVERS

Nous connaissons mieux l'Univers grâce aux télescopes, aux radiotélescopes et aux satellites qui nous permettent de l'observer. Il est si vaste que nous ne pouvons qu'espérer en explorer une minuscule partie.

Toutefois, il suffit d'observer notre Univers pour faire de stupéfiantes découvertes. Nous connaissons la composition des étoiles, leur distance, la vitesse à laquelle elles se déplacent, la chaleur qu'elles produisent, leur intensité lumineuse et nous pouvons même déterminer leur âge. En plaçant des télescopes au sommet des montagnes, nous pouvons voir plus loin et plus distinctement qu'au ras du sol, car l'atmosphère y est moins polluée et l'image plus précise. Les télescopes spatiaux, comme Hubble, offrent des images d'une incroyable précision. Quatre siècles d'observation au télescope n'ont fait que confirmer que le cosmos était vraiment mystérieux et que des milliers de découvertes restent encore à faire.

> *« Je soupçonne l'Univers d'être non seulement plus étrange que nous le supposons, mais encore bien plus étrange que nous pourrions le supposer. »*
> J.B.S. Haldane
> (1892-1964)

L'observation du C O S M O S

Les gros télescopes fonctionnent mieux que ceux de petite taille, car ils captent davantage de lumière et peuvent détecter des objets plus flous et plus éloignés. Toutefois, si les lentilles sont trop grosses, elles peuvent courber sous leur propre poids et déformer l'image. Les miroirs concaves (bombés vers l'extérieur) fonctionnent mieux, car ils réfléchissent la lumière et peuvent être soutenus à l'arrière. Grâce à des systèmes électroniques, on peut collecter et enregistrer des résultats avec davantage de précision que ne le ferait l'œil humain. Cependant, le plus puissant des télescopes terrestres n'offrira jamais les moindres détails d'une étoile lointaine ou des planètes en orbite autour d'elle.

LES PREMIERS TÉLESCOPES

Construit en 1609, la lunette astronomique de Galilée se composait de deux lentilles fixées à chaque extrémité d'un tube (voir page 50). En 1671, Isaac Newton inventa un télescope qui utilisait des miroirs. En 1845, lord Rosse construisit un télescope à miroir, grâce auquel il découvrit la forme en spirale de certaines nébuleuses. En 1931, Karl Jansky capta par hasard des fréquences hertziennes (radioélectriques) en provenance de la Voie lactée. Celles-ci incitèrent Grote Reber à inventer le premier radio-télescope en 1936, lequel permit aux astronomes d'explorer l'Univers beaucoup plus en détail.

LES OBSERVATOIRES

C'est en 1675 que l'on installe l'observatoire royal de Greenwich, sur l'ordre du roi Charles II d'Angleterre, afin d'établir une nouvelle carte du ciel à l'usage des marins. Greenwich, à Londres, correspond à l'endroit exact où se rejoignent les parties occidentales et orientales de la Terre. Au fil du temps, le ciel de Londres deviendra cependant trop pollué pour qu'on puisse bien observer les étoiles et l'on a depuis installé des observatoires dans des endroits plus isolés. Les plus modernes se trouvent à Hawaii et aux îles Canaries, à des hauteurs élevées similaires, sous des ciels bien dégagés et non pollués.

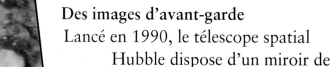

Des images d'avant-garde

Lancé en 1990, le télescope spatial Hubble dispose d'un miroir de 2,40 m et se trouve en orbite à 618 km au-dessus de la Terre. Totalement au point depuis 1993, Hubble retransmet les images d'objets lointains, les plus distinctes qu'on ait jamais pu observer.

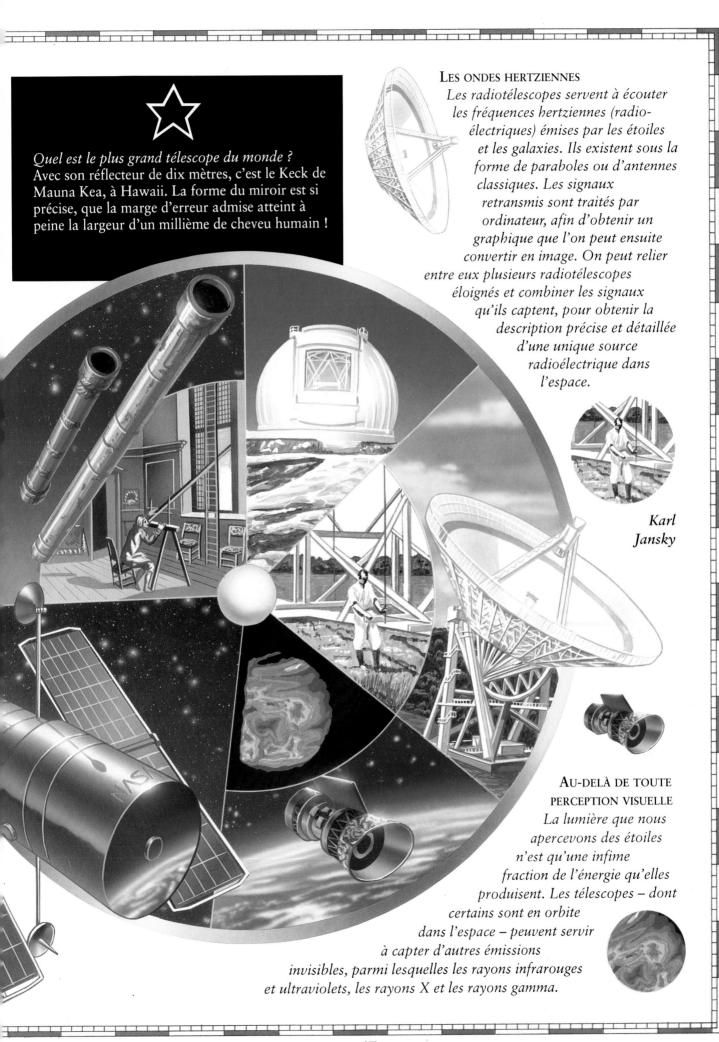

LES ONDES HERTZIENNES

Les radiotélescopes servent à écouter les fréquences hertziennes (radio-électriques) émises par les étoiles et les galaxies. Ils existent sous la forme de paraboles ou d'antennes classiques. Les signaux retransmis sont traités par ordinateur, afin d'obtenir un graphique que l'on peut ensuite convertir en image. On peut relier entre eux plusieurs radiotélescopes éloignés et combiner les signaux qu'ils captent, pour obtenir la description précise et détaillée d'une unique source radioélectrique dans l'espace.

Karl Jansky

Quel est le plus grand télescope du monde ? Avec son réflecteur de dix mètres, c'est le Keck de Mauna Kea, à Hawaii. La forme du miroir est si précise, que la marge d'erreur admise atteint à peine la largeur d'un millième de cheveu humain !

AU-DELÀ DE TOUTE PERCEPTION VISUELLE

La lumière que nous apercevons des étoiles n'est qu'une infime fraction de l'énergie qu'elles produisent. Les télescopes – dont certains sont en orbite dans l'espace – peuvent servir à capter d'autres émissions invisibles, parmi lesquelles les rayons infrarouges et ultraviolets, les rayons X et les rayons gamma.

De fantastiques
VOYAGES

Grâce à la fusée, le rêve d'un voyage dans l'espace a pu devenir réalité. Cet engin parvient à décoller en brûlant du combustible qui produit des gaz, lesquels s'échappent par une tuyère d'éjection et le propulsent. Spécialement conçus pour l'espace, les moteurs d'une fusée doivent transporter tout le combustible et l'oxygène nécessaires à leur fonctionnement. On peut atteindre l'espace grâce à la fusée à étages qui se détachent les uns après les autres, après combustion. Depuis les toutes premières fusées spatiales, des vaisseaux ont pu explorer les confins du système solaire et des hommes ont pu marcher sur la Lune.

UNE VISION DU FUTUR

L'auteur français Jules Verne était célèbre pour ses visions futuristes. Dans son roman de science-fiction De la Terre à la Lune, paru en 1865, ses voyageurs sont propulsés dans l'espace au moyen d'un canon (un système qui leur aurait été fatal dans la réalité). Ne pouvant se poser sur la Lune, ils se contenteront de graviter autour puis reviendront sur Terre.

LES PIONNIERS DE LA FUSÉE SPATIALE

C'est Konstantine Tsiolkovski, un savant russe, qui mettra au point les principes fondamentaux de la fuséologie (science des fusées) au début du XXᵉ siècle. Robert Goddard, un physicien américain, dont on aperçoit la toute première fusée, ci-dessous, et l'Allemand Wernher von Braun (ci-dessus) ont construit et lancé des engins avec succès. La fusée V-2 de von Braun (ci-dessus, à gauche) a servi d'arme dévastatrice aux nazis au cours de la dernière année de la Seconde Guerre mondiale (1939-1945).

La NASA

Aux États-Unis, la NASA (National Aeronautics and Space Administration) a permis, en juillet 1969, au premier homme de marcher sur la Lune. Elle a également mis au point la première navette spatiale réutilisable. Les missions spatiales inhabitées de la NASA ont permis de nombreuses découvertes. Ainsi, grâce au vaisseau Viking, on sait qu'il n'existe aucune trace de vie sur la planète Mars.

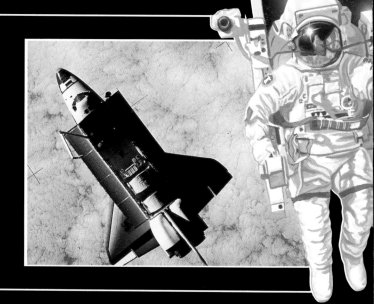

Pouvons-nous arrêter le temps ?
Selon les théories d'Albert Einstein, si l'on arrive à concevoir un vaisseau spatial capable de voyager à la vitesse de la lumière, le temps à bord ne s'écoulera plus. Un astronaute pourrait ainsi voyager pendant mille ans et revenir sur terre sans avoir pris une ride. Mais il est peu probable que notre technologie permette un jour la construction d'un engin aussi rapide.

SEUL DANS L'ESPACE
Le 12 avril 1961, l'ex-URSS lance le premier homme dans l'espace, le commandant Iouri Gagarine, à bord de Vostok 1 (ci-dessous). Le cosmonaute gravitera une seule fois autour de la Terre puis reviendra s'y poser sans encombre.

LES SONDES SPATIALES
Dans les années soixante-dix, les premières sondes spatiales à quitter le système solaire sont Pioneer 10 et Pioneer-Saturn, puis deux vaisseaux Voyager. Les vaisseaux prendront des images en gros plan de Jupiter et de Saturne, puis Voyager 2 rendra visite à Uranus et à Neptune. Galilée (ci-contre), la dernière sonde en date, a été lancée en 1989. À cause d'un itinéraire complexe, elle mettra un certain temps avant d'atteindre les planètes supérieures.

LES DÉTRITUS DES ASTRONAUTES
Les paysages du système solaire sont jonchés de matériel laissés par diverses expéditions.

LA CARTE DE VISITE DE LA TERRE
Lancée en 1972, la sonde Pioneer 10 transporte une plaquette informative, une sorte de "carte de visite", au cas où elle croiserait un jour une autre forme de vie intelligente. On peut y voir un dessin représentant des êtres humains des deux sexes, ainsi qu'une carte du ciel permettant de localiser notre système solaire.

L'avenir de L'UNIVERS

« Nous nous retrouvons dans un monde déconcertant. Nous souhaitons donner un sens à ce que nous voyons autour de nous et nous demander : Quelle est la nature de l'Univers ? Quelle est notre place au sein de celui-ci ? D'où vient-il et d'où venons-nous ? Pourquoi est-ce ainsi ? »
Stephen Hawking,
Une brève histoire du temps.

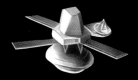

La plupart des astronomes pensent qu'un "Big Bang" ("gigantesque explosion") est à l'origine de l'Univers. Il y a environ 15 millions d'années, l'Univers était incroyablement brûlant et minuscule... plus petit qu'un atome. Puis il y a eu le fameux Big Bang et l'Univers a commencé à se dilater très rapidement. Toute la matière du cosmos est encore en train de s'éparpiller et de récentes découvertes ont prouvé que la théorie du Big Bang était correcte.

Si l'Univers a commencé par une explosion, comment va-t-il s'achever ? La réponse s'avère plus incertaine. Il se peut qu'il continue à s'étendre ou qu'il commence à se réduire et finisse par ce qu'on appelle le "Big Crunch" ("gigantesque collision" où toutes les galaxies s'écrasent) dans un futur très lointain. Tout dépend de la quantité de matière contenue dans le cosmos. S'il en existe suffisamment, sa force de gravité sera assez puissante pour interrompre l'expansion de l'Univers et le conduira au Big Crunch. Mais personne ne connaît exactement la masse contenue dans l'Univers.

Les extraterrestres EXISTENT-ILS ?

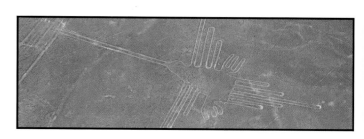

Sommes-nous seuls dans l'Univers ? Si la vie s'est développée naturellement sur la Terre, comme le pensent les scientifiques, elle s'est sans doute développée ailleurs. Il existe tant de milliards d'étoiles semblables au Soleil que bon nombre d'entre elles doivent avoir des planètes. Parmi ces dernières, il en existe sans doute dont les conditions de vie ressemblent à celle de la Terre. Si c'est le cas, alors nous ne sommes certainement pas seuls. Pour découvrir d'autres formes de vie intelligentes, il nous faut constamment écouter et observer le cosmos. Depuis plus de trente ans, les radiotélescopes sont braqués sur les étoiles, afin de capter les moindres émissions radioélectriques en provenance de civilisations éloignées... mais jusqu'ici sans succès. La quête de la vie dans notre Univers continue et risque fort de se poursuivre à jamais.

Peut-on prouver l'existence d'une éventuelle forme de vie dans d'autres galaxies ?
De nombreuses personnes affirment que des extraterrestres leur ont rendu visite. Certains rapports d'enquête mentionnent même que des scientifiques ont examiné des corps d'extra-terrestres, dont le vaisseau se serait écrasé au Nouveau-Mexique en 1947. Mais jusqu'ici nous ne disposons d'aucune preuve tangible.

DES VISITES DANS LE PASSÉ ?
Dans le désert du Pérou, on aperçoit distinctement de mystérieux tracés qui, selon certains, seraient l'œuvre d'extraterrestres venus sur terre il y a fort longtemps.

UNE VIEILLE HISTOIRE
Depuis toujours, les gens se sont inter-rogés sur l'existence d'autres vies dans l'Univers en voyant des lumières étranges dans le ciel.

LA PLANÈTE VOLANTE NON IDENTIFIÉE
Nombreux sont ceux qui, croyant avoir vu des OVNI (objets volants non identifiés) n'ont en fait aperçu que la planète Vénus. Sa surface est recouverte de nuages qui renvoient la lumière du Soleil, ce qui la rend très lumi-neuse dans le ciel nocturne.

DES LUMIÈRES DANS LE CIEL

Certains disent avoir vu d'étranges objets lumineux dans le ciel. Malgré les rumeurs et l'observation constante du ciel, on ne détient toujours pas de preuves tangibles que ces lumières sont des vaisseaux spatiaux extraterrestres. La plupart des OVNI correspondent sans doute à des nuages aux formes étranges, à moins qu'il ne s'agisse de photos soigneusement truquées.

LA VIE SUR MARS ?

L'astronome Percival Lowell (1855-1916) croyait voir des canaux sur Mars, preuves d'une forme de vie intelligente sur cette planète. Mais il ne s'agissait que d'illusions

d'optique, comme l'a prouvé le vaisseau spatial Viking. Toutefois, une photo prise plus tard semblait représenter un visage gravé sur la surface de la planète. Était-ce la nouvelle preuve d'une ancienne civilisation martienne ? Non, malheureusement. Il s'agissait encore d'une illusion d'optique due aux rochers dont les formes masquées par l'ombre évoquaient un visage.

Des petits hommes verts ?

La plupart des images d'extra-terrestres ont été créées au cinéma, dans des films comme *E.T.* On les représente souvent avec une peau verte ou grise, de grands yeux, s'exprimant lentement et posément. Un extraterrestre aura sans doute un aspect très différent du nôtre et lui-même risque fort de nous trouver bizarres. À moins qu'il nous ressemble trait pour trait, qui sait ?

PANIQUE DANS LE PAYS !

La Guerre des mondes, *du romancier H.G. Wells, relate l'invasion de la Terre par les Martiens. Écrit en Grande-Bretagne en 1898, le roman sera adapté pour la radio en 1938, aux États-Unis. Lors de la diffusion, l'histoire semble si convaincante que des milliers d'auditeurs, croyant qu'il s'agit d'un véritable bulletin d'information, descendent en pyjama dans les rues et se mettent à courir en hurlant ! D'autres romans de science-fiction sont parus depuis, mais aucun n'aura connu un tel impact sur le public.*

Des mystères
INEXPLIQUÉS

Le plus grand mystère de l'Univers concerne son étendue réelle. Les galaxies en spirale ont une forme si constante qu'elles doivent englober davantage de matière que ce que nous pouvons en voir. En fait, les étoiles visibles ne forment sans doute qu'un dixième de la masse (matière) totale du cosmos. Alors, de quoi se compose le reste ou la "masse manquante" ? Il peut s'agir d'étoiles d'une trop faible intensité pour être aperçues, mais en réalité nous n'en savons rien. Pourtant, il s'avère capital de connaître la réponse, car c'est la masse qui détermine si l'Univers va continuer à se dilater, pour s'achever dans un grand vide glacial, le "Big Chill", ou bien s'il finira par l'anéantissement total, au cours d'un Big Crunch.

VOYAGE DANS LE TEMPS
Dans des films ou séries TV, telles que Dr Who *ou* Retour vers le futur, *ainsi que dans des romans comme* La Machine à remonter le temps, *d'H.G. Wells (ci-contre), les héros voyagent dans le temps, mais cela sera-t-il possible un jour ? Selon les théories d'Einstein, si quelqu'un vient à tomber dans un trou noir, il n'en meurt pas, mais il risque fort de passer à travers des tunnels pour atteindre un autre Univers, un autre endroit de notre cosmos ou même un autre temps...*

SE FAUFILER DANS L'ESPACE
Ces tunnels qui relient deux portions d'espace-temps entre elles ressemblent un peu aux trous creusés par des vers dans un fruit. Si l'espace-temps est courbe comme la surface d'une pomme, le tunnel se révèle donc un raccourci pour passer de l'autre côté, un chemin que l'on emprunterait pour voyager d'une période donnée à une autre. Cela paraît fou... mais qui sait ?

Le Big Crunch
De nombreux scientifiques pensent que l'Univers s'achèvera comme il a commencé, c'est-à-dire en un simple point (théorie de l'Univers fermé). Si ce Big Crunch se produit, qu'arrivera-t-il ensuite ? Cela va-t-il déclencher un nouveau processus, avec un autre Big Bang, qui donnera naissance à de nouvelles étoiles, de nouvelles galaxies, de nouvelles planètes... et une nouvelle Terre ?

Combien dénombre-t-on de trous noirs ?
Il se peut que leur nombre dépasse
celui des étoiles visibles ; soit plus
de 100 000 millions, uniquement
dans notre galaxie ! Si c'est le
cas, cela permettrait
d'expliquer la "masse
manquante" du cosmos, car
un trou noir peut contenir
suffisamment de matière
pour former
100 000 soleils.

UN IMPACT MORTEL

*Il y a
65 millions
d'années,
un énorme
astéroïde a dû
heurter la Terre, provoquant
ainsi un nuage de débris qui a
modifié le climat et précipité la
fin des dinosaures. Cela pourrait
bien se reproduire et les astronomes
restent vigilants pour nous prévenir
d'un éventuel danger.*

L'avenir de l'Univers

Si notre Univers est né il y a
15 milliards d'années, la vie humaine
n'existe que depuis peu de temps.
Il nous faudra des centaines, voire des
milliers d'années pour comprendre
tous les secrets de l'espace. Avec tant
de nouveaux mondes et de nouvelles
galaxies à explorer, tant d'énigmes à
élucider, il n'est guère étonnant que les
scientifiques continuent inlassable-
ment à vouloir percer les mystères de
l'Univers.

LA PLANÈTE X

*Au plus profond du système solaire
se trouve peut-être un dixième
astre, provoquant des mouvements
inhabituels chez les planètes
supérieures. La chasse continue pour
découvrir cette mystérieuse planète X...*

UNE COLONIE SUR MARS

*Si l'on parvient à réchauffer la
planète Mars avec des gaz et des
réflecteurs solaires dans l'espace,
des êtres humains pourraient
éventuellement s'y établir.*

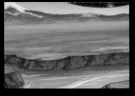

HISTORIQUE

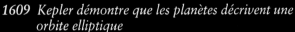

IVe *siècle av. J.-C.* Aristote démontre que la Terre est ronde

240 av. J.-C. Première apparition attestée de la comète de Halley

IIe *siècle apr. J.-C.* Ptolémée développe sa théorie de l'Univers

1543 Copernic avance ses hypothèses sur le système solaire
1572-1596 Brahé observe les étoiles et les planètes

1609 Kepler démontre que les planètes décrivent une
orbite elliptique
1610 7 janvier : Galilée aperçoit les lunes de Jupiter
Vers 1670 Newton invente le télescope à miroir
1675 Fondation de l'observatoire de Greenwich

1815 18 juin : À la bataille de Waterloo, les Anglais
lancent des fusées contre les troupes napoléoniennes
1845 Lord Rosse construit un télescope à miroir de 1,80 m
1865 Jules Verne publie De la Terre à la Lune
1898 H.G. Wells publie La Guerre des mondes

1903 Tsiolkovski établit les principes de base d'un vol dans l'espace
1914 Eddington constate l'existence des galaxies spirales
1916 Einstein publie les Fondements de la théorie de la relativité restreinte et généralisée

1923 Oberth publie un ouvrage sur les vols dans l'espace
1926 Goddard lance la première fusée à combustible liquide

1930 Découverte de la planète Pluton
1931 Jansky détecte des fréquences hertziennes dans l'espace
1936 Reber construit un radiotélescope

1942 Les fusées V-2 s'élèvent à 250 km d'altitude

1957 Octobre : Lancement du satellite soviétique
Spoutnik 1
1957 Novembre : Lancement du Spoutnik 2,
avec la chienne Laïka à bord
1958 31 janvier : Lancement du satellite américain
Explorer 1
1958 Juillet : Création de la NASA
1959 La sonde soviétique Luna 3 photographie pour la première fois la face cachée
de la Lune

1960 Lancement du premier satellite météorologique, TIROS 1
La fusée soviétique SS-7 explose sur sa rampe de lancement et tue de nombreuses
personnes
Lancement de la première sonde spatiale américaine, Pioneer 5, qui va explorer les
profondeurs du cosmos
1961 12 avril : Le cosmonaute soviétique Iouri Gagarine est le premier homme dans
l'espace
1961 Mai : Alan Shepard est le premier Américain dans l'espace
Août : Le cosmonaute soviétique German Titov, en orbite fait 17 fois le tour
de la Terre

1962 John Glenn est le premier Américain en orbite autour de la Lune
La sonde Mariner 2 explore Vénus
Avril : La sonde américaine Ranger 4 se pose sur la Lune
26 avril : Lancement du satellite britannique Ariel 1
Juillet : Lancement du satellite de télécommunications Telstar
1963 La cosmonaute soviétique Valentina Terechkova est la première femme dans l'espace
1964 L'Union soviétique place trois cosmonautes en orbite, à bord de Vostok 1
1965 Alexeï Leonov est le premier homme à marcher dans l'espace, en sortant du vaisseau Vostok 2
Mars : Premier vol habité de la fusée américaine Gemini
Juillet : La sonde américaine Mariner 4 photographie la planète Mars
1966 Janvier : La sonde soviétique Luna 9 se pose sur la Lune
1967 Trois astronautes du programme Apollo trouvent la mort dans un incendie sur la rampe de lancement
La sonde soviétique Venera 4 retransmet des informations sur l'atmosphère de Vénus
Découverte des pulsars
1968 Octobre : Premier vol habité du programme Apollo
Décembre : Trois astronautes américains restent en orbite lunaire, à bord d'Apollo 8
1969 21 juillet : Apollo 11 se pose sur la Lune

1970 11 février : Lancement d'Ohsumi, le premier satellite japonais
1971 Décembre : La capsule de la sonde soviétique Mars 3 atterrit sur Mars
Novembre : La sonde américaine Mariner 9 est la première en orbite autour de Mars
1972 Lancement de la sonde Pioneer 10 avec à son bord une "carte de visite" de la Terre
1973 Lancement de la station orbitale Skylab
1975 Juillet : Les vaisseaux américain Apollo et soviétique Soyouz se rejoignent dans l'espace
Octobre : La sonde soviétique Venera 9 se pose sur Vénus
1976 Viking 1 retransmet des photos de la planète Mars
1977 Août et septembre : Lancement de Voyager 1 et Voyager 2 par la NASA
1979 Septembre : La sonde américaine Pioneer-Saturn franchit l'orbite de Saturne et retransmet des informations à la Terre

1981 Avril : Premier vol de la navette américaine Columbia
1982 25 juin-2 juillet : Pour la première fois, un spationaute français, Jean-Loup Chrétien, accompagné des Soviétiques Djanibekov et Ivanchenkov, séjourne dans la station Saliout 7
1983 Les États-Unis proclament officiellement l'Initiative de défense stratégique ("guerre des étoiles")
Pioneer 10 voyage au-delà du système solaire
Novembre : Lancement du Spacelab, le laboratoire orbital construit par l'Agence spatiale Européenne (ESA)
1986 Janvier : Explosion de la navette Challenger
Février : Lancement de la station orbitale soviétique Mir
Mars : La sonde Giotto photographie la comète de Halley
1988 Reprise du programme spatial américain avec le lancement de la navette Discovery
Novembre : Lancement de la navette soviétique Buran

1990 Lancement du télescope spatial Hubble
1992 Les astronautes de la navette réalisent une sortie de 8 heures dans l'espace
Le satellite COBE (Cosmic Background Explorer) détecte certaines radiations qui confirmeraient la théorie du Big Bang
1994 Juillet : La comète Shoemaker-Levy entre en collision avec Jupiter

LES FONDS MARINS

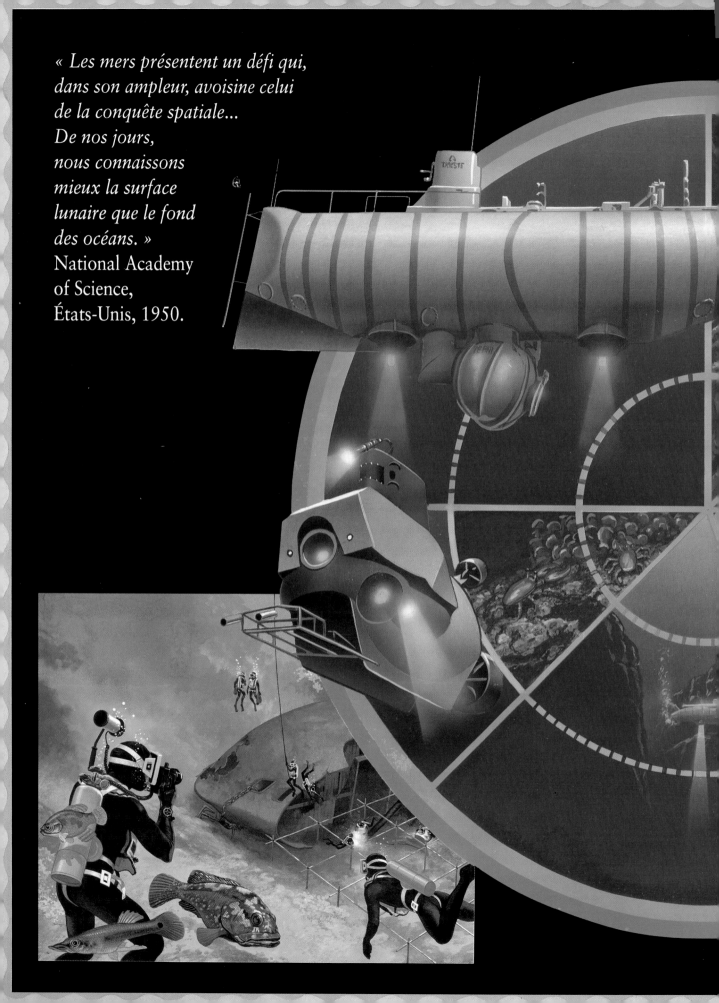

« *Les mers présentent un défi qui,
dans son ampleur, avoisine celui
de la conquête spatiale...
De nos jours,
nous connaissons
mieux la surface
lunaire que le fond
des océans.* »
National Academy
of Science,
États-Unis, 1950.

INTRODUCTION

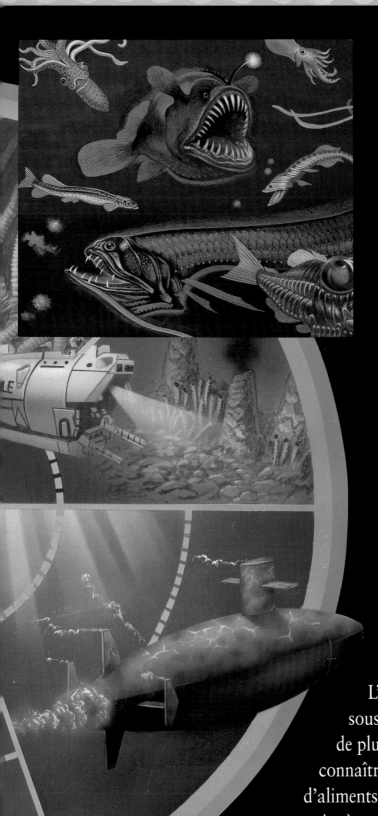

Peut-être aurions-nous dû appeler notre monde "planète Océan" et non pas "planète Terre". Après tout, plus des deux tiers du globe sont liquides. Les scientifiques estiment que les océans contiennent environ 1 370 millions de kilomètres cubes d'eau ! De belles explorations en perspective, non ?

En 1969, alors que Neil Armstrong pose le pied sur la Lune, une seule mission dans les profondeurs océaniques a été couronnée de succès. Depuis, personne n'y est retourné. Les secrets des grands fonds ne sont guère faciles à percer, mais beaucoup s'attellent à cette tâche. Au XXe siècle, on a réalisé d'énormes progrès dans le développement des méthodes d'exploration, mais de nombreuses énigmes subsistent. Comment les océans se sont-ils formés et pourquoi contiennent-ils autant de sel ? L'être humain pourra-t-il vivre un jour sous les mers ? Notre monde devenant de plus en plus surpeuplé, il est capital de mieux connaître les océans. Aussi, quelle quantité d'aliments pouvons-nous extraire de la mer sans nuire à son environnement ? Comment traiter nos déchets pour la nourrir au lieu de la polluer ? Qu'adviendra-t-il des océans si le réchauffement du globe se poursuit ? Autant de questions et de mystères que doivent résoudre les océanographes.

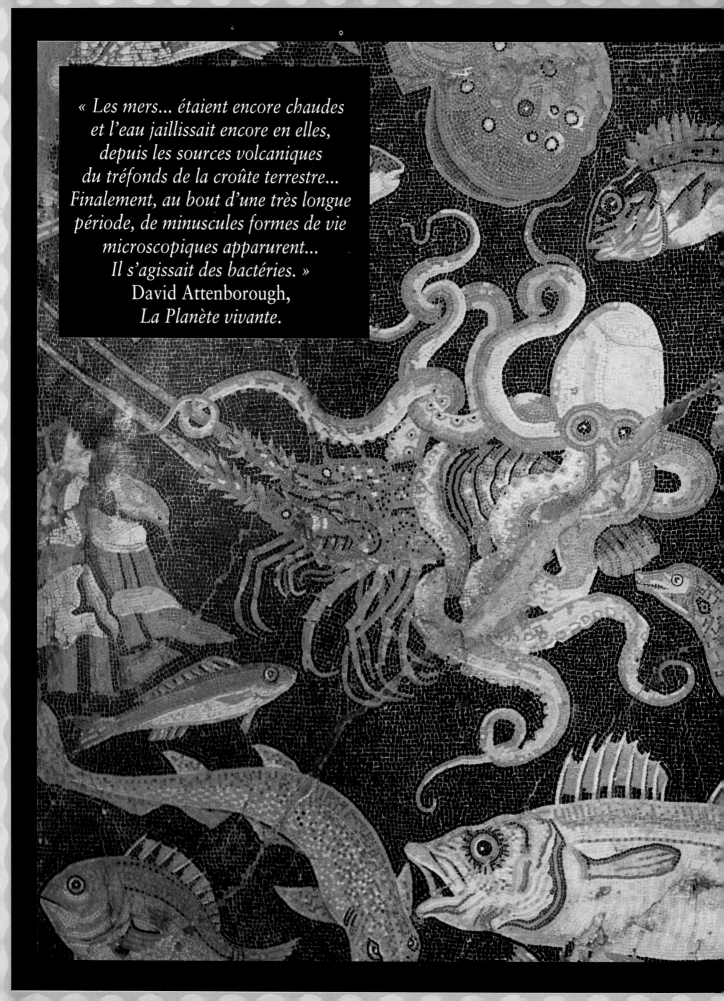

« *Les mers... étaient encore chaudes*
et l'eau jaillissait encore en elles,
depuis les sources volcaniques
du tréfonds de la croûte terrestre...
Finalement, au bout d'une très longue
période, de minuscules formes de vie
microscopiques apparurent...
Il s'agissait des bactéries. »
David Attenborough,
La Planète vivante.

Les eaux MYSTÉRIEUSES

À l'heure actuelle, grâce aux caméras vidéo sous-marines, on peut voyager sous les océans sans se mouiller. Les bateaux modernes, les sous-marins, le matériel de plongée et la technologie des satellites nous permettent d'observer et d'explorer les profondeurs.

Les tout premiers explorateurs ont bravé les océans sans cartes marines ou systèmes de communication précis. Comme en témoignent leurs mosaïques où figurent poissons et créatures de la Méditerranée, les Romains étaient des observateurs attentifs.

Il y a 150 ans à peine, les scientifiques croyaient qu'aucune forme de vie ne pouvait subsister dans les profondeurs océaniques et que les grands fonds étaient remplis de glace. En 1860, un câble de communication, passant à 2 km de profondeur sous la Méditerranée, est sorti de l'eau pour être réparé. On découvre alors de merveilleux coraux sur sa surface. Depuis, en draguant les abysses (grandes profondeurs marines), on a pu extraire toute une variété de créatures océaniques vivant jusqu'à 6 km de profondeur.

Les premiers
MYSTÈRES

Il y a à peine deux siècles, on pensait encore que les océans étaient sans fond et peuplés de gigantesques monstres épouvantables.
Au XVIIIᵉ siècle, toutefois, des scientifiques et des explorateurs entreprennent des expériences qui vont leur permettre de découvrir le fond des océans. Depuis 1920, grâce aux sondeurs à ultrasons, les chercheurs peuvent connaître l'aspect du plancher océanique et mesurer la profondeur de l'océan, à n'importe quel endroit et en quelques secondes. Les plongeurs peuvent même s'équiper de leur sondeur étanche portable pour savoir à quel niveau sous-marin ils se trouvent. Malgré tout, bon nombre de mystères et de mythes demeurent.

Quelle est la taille des océans ?
Les mers et les océans occupent environ 362 000 000 km² de notre planète, avec une profondeur moyenne de 3 700 m. Le plus grand océan est le Pacifique, qui mesure 166 000 000 km², le plus petit est l'Arctique avec 12 000 000 km².

LA BONNE MESURE
En 1773, à bord du bateau de Sa Majesté le Racehorse, *Constantine John Phipps utilisa un fil à plomb pour mesurer une profondeur de plus d'un kilomètre, dans les eaux séparant l'Islande de la Norvège.*

LES SIRÈNES
Nul ne connaît l'origine du mythe des sirènes, mais cela fait des siècles qu'elles alimentent les récits fabuleux. L'explorateur Christophe Colomb (1451-1506) pensait que les dugongs (ci-contre), mammifères marins surnommés vaches marines, auraient inspiré la légende.

La vie dans les abysses ?

Les scientifiques savent aujourd'hui que la vie existe dans les fonds marins, même dans le ravin abyssal le plus profond : la fosse des Mariannes. C'est un sous-marin japonais sans équipage, le Kaiko *(ci-contre)*, qui fit cette découverte en 1995. Manœuvré par des câbles en surface, l'engin a pu extraire des échantillons et prendre des photos.

Le défi des océans

En 1872, le vaisseau de Sa Majesté le Challenger lève l'ancre pour un long voyage de recherche autour du monde. Pendant plus de trois ans, à son bord, les scientifiques établissent la carte des fonds marins, en sondant les profondeurs à l'aide d'une ligne et d'une boule de plomb. En analysant la vase et l'eau, ils découvriront plus de 4 000 espèces animales et végétales. De leurs travaux naîtront une cinquantaine d'ouvrages et de nombreux mystères seront résolus.

Les dieux de la mer

Depuis des milliers d'années, les peuples de marins ont vénéré les dieux et les déesses de la mer. De nos jours, les rites et les cérémonies en hommage à ces divinités sont encore pratiqués dans certaines sociétés. Chaque grande civilisation possédait son dieu de la mer, tel Poséidon, pour les anciens Grecs, ou Neptune, dans la Rome antique. Les Romains considéraient d'ailleurs que les crêtes des vagues n'étaient autres que les chevaux blancs du char de Neptune *(ci-contre)*.

Les eaux tourbillonnantes

Les tourbillons se forment aux points de rencontre de forts courants marins, dans d'étroits passages maritimes, comme entre l'Italie et la Sicile, en Méditerranée. Les Grecs de l'Antiquité appelaient ce tourbillon Charybde et l'attribuaient à un monstre aspirant et refoulant les eaux.

Le continent disparu

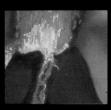

De nos jours, nul ne sait encore si l'Atlantide a réellement existé. Selon Platon, le philosophe grec, l'île aurait été submergée par les flots à la suite d'un cataclysme. Il est vrai que, vers 1500 av. J.-C., une éruption volcanique et un tremblement de terre sur l'île de Théra (aujourd'hui Santorin) provoquèrent de gigantesques raz-de-marée et des inondations. D'où, peut-être, la légende de l'Atlantide...

Théories et idées NOUVELLES

Les premiers explorateurs des océans ne manquaient pas de courage. Ils naviguaient à la voile, avec les étoiles et le Soleil comme seuls points de repère. Leurs cartes n'étaient guère précises et certains, pensant que la terre était plate, s'imaginaient tomber dans le vide, une fois parvenus au bout du monde ! Des explorateurs tels que Christophe Colomb, Fernand de Magellan et James Cook ont établi la carte des océans et des continents. À présent, des scientifiques commencent à dessiner la carte des grands fonds marins, avec les montagnes, les ravins et les plaines qui les composent. En sondant les abysses, ils parviennent à comprendre comment les océans et les continents se sont formés, et peuvent même prévoir leur évolution d'ici un million d'années !

Les océans conservent-ils la même taille ?
La taille de nos océans évolue en permanence, en raison des mouvements lents, mais constants, des plaques tectoniques de la terre (voir page 87) qui éloignent les continents. L'océan Atlantique, par exemple, s'élargit d'environ 4 cm par an.

QUAND LA TERRE ÉTAIT PLATE...
Pendant des siècles, les gens s'imaginaient que la Terre était plate et qu'ils pouvaient basculer dans le vide, une fois arrivés au bord ! Au VIᵉ siècle av. J.-C., le mathématicien grec Pythagore (ci-dessous) prouva que la Terre était une sphère. Malgré les photos satellites qui nous permettent d'observer notre globe terrestre, certains continuent de croire que notre planète est plate !

PREMIER VOYAGE
AUTOUR DU MONDE
1522

ELLE EST RONDE !
Le navigateur portugais Fernand de Magellan (1480-1521) traversa l'océan Pacifique en 1520. Auparavant, les gens pensaient que l'Inde et l'Amérique ne formaient qu'un seul et unique continent. En 1522, l'un des vaisseaux de Magellan fut le premier à faire le tour du monde, prouvant enfin que la Terre était bel et bien ronde !

LA CARTE DU MONDE

Certains peuples avaient une façon bien étrange de concevoir la Terre ! Vers l'an 50 de notre ère, le Romain Pomponius Mela dessina une carte "en forme de roue", où la Terre plate était entourée d'un océan et divisée par les mers !

L'ÉPINE DORSALE DES OCÉANS

L'océan Atlantique recouvre la dorsale médio-atlantique, une longue chaîne de montagnes dont certains sommets culminent à 4 000 m. Elle émerge par endroits pour former des îles telles que l'Islande. Il existe des chaînes semblables dans tous les fonds océaniques.

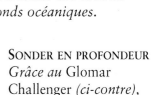

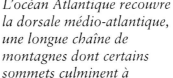

SONDER EN PROFONDEUR

Grâce au Glomar Challenger *(ci-contre), nous savons à présent comment et à quelle époque s'est formé le fond des océans. Une sonde pénètre sous l'eau, afin d'extraire des échantillons de roches et de vase. Elle peut forer jusqu'à 7 000 m de profondeur.*

TYPVS ORBIS TERRARVM

LE PREMIER ATLAS

C'est en 1570 qu'un cartographe flamand, Abraham Ortels, dit Ortelius, publie le premier grand atlas universel appelé Theatrum orbis terrarum. *Cet atlas, qui englobe des cartes dessinées, connaîtra un grand succès, mais il n'en demeure pas moins criblé d'erreurs !*

L'évolution de la Terre

À présent, les scientifiques pensent que les océans et les continents occupent des blocs séparés de la croûte terrestre, que l'on appelle plaques tectoniques (ci-dessous). Il y a environ 250 millions d'années, les continents ne formaient qu'une gigantesque masse de terre appelée la Pangée. Des plaques se sont peu à peu disloquées, pour former les continents. D'autres sont entrées en collision, créant ainsi des chaînes de montagnes telles que l'Himalaya.

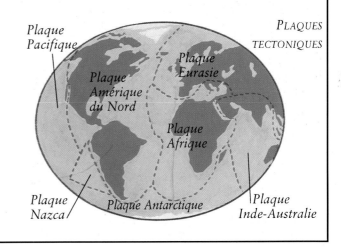

PLAQUES TECTONIQUES

Plaque Pacifique

Plaque Eurasie

Plaque Amérique du Nord

Plaque Afrique

Plaque Nazca

Plaque Antarctique

Plaque Inde-Australie

« J'ai testé toutes les possibilités offertes par le scaphandre autonome : loopings, culbutes, tonneaux. Je me suis tenu la tête en bas, appuyé sur un doigt et j'ai éclaté de rire... d'un rire aigu et déformé... Délivré de la pesanteur et de la flottabilité, je volais dans l'espace... »
Jacques-Yves Cousteau, explorateur sous-marin.

L'attrait des OCÉANS

La plupart d'entre nous sont fascinés par l'océan. Depuis des millénaires, les pêcheurs, les habitants des régions côtières et les marins ont pu subvenir à leurs besoins et survivre grâce à l'océan. Chaque année, bon nombre de gens passent leurs vacances au bord de la mer, certains s'essaient à la plongée, en quête de perles ou d'autres trésors naturels.

Au XIXᵉ siècle, le grand public s'intéresse beaucoup à l'histoire naturelle. Les premiers naturalistes se mettent à observer en détail les mystérieux animaux et les plantes du rivage. Certains se hasardent sous l'eau, avec des seaux sur la tête ! On construit des laboratoires océano-graphiques en bord de mer, à Naples, en Italie, ou à Plymouth, en Grande-Bretagne. Après la Seconde Guerre mondiale (1939-1945), les explorateurs sous-marins, tels que les Autrichiens Hans et Lottie Hass et le Français Jacques-Yves Cousteau, commencent à prendre des photos des mondes étranges des profondeurs. De nos jours, de nombreuses expéditions sous-marines découvrent chaque année de nouvelles créatures mystérieuses.

Les pionniers de la PLONGÉE

Les hommes plongent sous l'eau depuis des milliers d'années, en quête de précieuses perles, d'éponges, de poissons ou autres nourritures sous-marines. Si les tout premiers plongeurs ne disposaient pas d'équipement, ils pouvaient cependant descendre en apnée (en retenant leur respiration) à 20 ou 30 m de profondeur. Au fil des siècles, dans l'espoir de trouver des trésors enfouis ou de vaincre l'ennemi, chacun rivalisera d'ingéniosité pour mettre au point du matériel de plongée. Même l'Italien Léonard de Vinci (1452-1519) concevra un engin pour respirer sous l'eau, qu'il ne testera jamais. De nos jours, des milliers de gens s'adonnent à la plongée sous-marine, devenue un sport à part entière.

D'où proviennent les perles ?
Une perle se forme lorsqu'un grain de sable se glisse dans un coquillage. Pour arrêter l'irritation, le mollusque recouvre la particule de sable en sécrétant une fine nacre. Les perles les plus précieuses proviennent uniquement des mers tropicales. La plus grosse perle jamais découverte pèse plus de 6 kg et elle est l'œuvre d'un bénitier géant (un mollusque comestible).

UN PLONGEUR-NÉ
Le cachalot peut retenir sa respiration pendant au moins une heure et plonger à plus de 1 000 m sous l'eau, afin de chasser le calmar géant ! Les efforts de l'homme pour explorer l'océan semblent bien piteux en comparaison !

LES JOYAUX DE LA MER
Les pêcheurs de perles et d'éponges comptaient parmi les tout premiers plongeurs. On recueille des perles au fond du golfe Arabique depuis au moins l'an 3000 av. J.-C. À l'origine, les plongeurs portaient un pince-nez en écaille de tortue pour empêcher l'eau de pénétrer dans leurs narines.

LA CLOCHE À PLONGEUR

La première fut inventée en 1690 par l'astronome Edmund Halley. Les plongeurs s'asseyaient dans un caisson sans fond en bois. À mesure que l'engin descendait, l'eau montait en comprimant l'air à l'intérieur et l'on compensait cette perte en ajoutant de l'air en provenance de barils en bois. Les plongeurs pouvaient sortir à l'extérieur en portant de petits casques sur la tête.

LE SCAPHANDRE

C'est l'Allemand Augustus Siebe qui mit au point le premier scaphandre en 1837. Le costume en caoutchouc étanche était doté d'un lourd casque en cuivre et de bottes plombées. L'air était pompé en surface et l'ensemble permettait aux plongeurs d'opérer à plus de 90 m de profondeur. Les plongeurs professionnels utilisent aujourd'hui une tenue assez semblable mais bien plus légère.

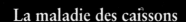

La maladie des caissons

Les premiers plongeurs souffraient d'une étrange maladie qui leur était souvent fatale : la maladie des caissons. Si le plongeur émerge trop tôt, la baisse de pression entraîne la libération d'azote gazeux dans le sang, ce qui bloque le flux sanguin. Aujourd'hui, les plongeurs affectés de la maladie des caissons passent par des chambres de décompression (ci-contre), dont la haute pression d'oxygène permet la dissolution de l'azote.

PLONGER EN SOLITAIRE

En 1865, les Français Benoît Rouquayrol et Auguste Denayrouze inventèrent un appareil de plongée ne nécessitant pas l'emploi d'un tuyau à air en surface. L'oxygène était transporté dans une boîte métallique et pénétrait dans le casque par une valve. Toutefois, cet équipement ne pouvait s'utiliser qu'en eaux peu profondes, à basse pression.

LA PLONGÉE MODERNE

Le scaphandre autonome moderne offre une grande liberté d'action au plongeur. Les années quarante verront la naissance du premier appareil à respirer en parfaite autonomie sous l'eau. Les explorateurs Jacques-Yves Cousteau et Frédéric Dumas mettront au point le détendeur qui libère de l'air comprimé à la demande (et non pas en permanence), pour éviter le gaspillage.

D'étranges CRÉATURES

Le nombre des créatures qui peuplent les fonds marins est absolument fascinant. Parmi les plus spectaculaires, citons les grandes baleines, les requins et les raies mantas. Dans le passé, ces animaux n'étaient que source de nourriture et d'argent, et bon nombre d'entre eux étaient chassés et tués. À présent, les scientifiques tentent d'éclaircir la vie mystérieuse de ces énormes créatures, afin d'éviter l'extinction de leur espèce.

De nos jours, chacun d'entre nous peut observer ces stupéfiants animaux dans leur milieu naturel. De nombreux organismes de tourisme proposent des excursions pour l'observation des baleines et des dauphins, des safaris sur les récifs coralliens et des traversées en bateaux à fond vitré ; par ailleurs, de plus en plus de gens s'initient à la plongée en scaphandre autonome.

LES MONSTRES DES PROFONDEURS
Les premiers marins vivaient constamment dans la crainte de rencontrer d'affreux monstres, censés surgir du fond des océans. Les cartes et les ouvrages du XVIe siècle représentaient des poissons et des reptiles pourvus de têtes et de crocs énormes, ainsi que de longs serpents se contorsionnant dans tous les sens. De telles légendes ont persisté jusqu'au XIXe siècle.

La reine des océans

La baleine bleue est le plus gros animal qui existe sur la Terre. Sa taille peut atteindre 30 m de long... soit davantage que la plupart des dinosaures ! Pourtant, ce mammifère géant se nourrit uniquement de ce qu'on appelle le krill : de petites crevettes d'à peine 5 cm de long. Chaque baleine en avale environ 4 millions par jour !

LES REQUINS ATTAQUENT !

Depuis la sortie de films comme Les Dents de la mer, le grand requin blanc a acquis la réputation de tueur impitoyable. Avec ses gigantesques mâchoires et ses dents acérées, cet animal peut déchiqueter un être humain en peu de temps. On sait peu de chose sur la vie de ce monstre et les scientifiques tentent d'en percer le mystère. Toutefois, les gens ont tué davantage de requins que l'inverse et ce grand prédateur compte aujourd'hui parmi les espèces en voie d'extinction.

Quelle est la taille du requin blanc ?
La plupart peuvent atteindre 6 m à l'âge adulte. En 1959, au large des côtes australiennes, Alf Dean captura à la corde le plus gros poisson jamais pris : un requin blanc de 1 209,50 kg. En 1976, toujours au large des côtes d'Australie, Clive Green en prit un de 1 537 kg. En 1963, un vacancier australien, Rodney Fox, survécut à l'attaque d'un requin blanc. Le pauvre homme s'en tira avec des centaines de points de suture et des cicatrices de la taille jusqu'au cou !

ALERTE AUX LARVES !

En 1763, on découvrit des poissons en forme de feuilles dans la mer des Sargasses, qu'on appela leptocéphales. Un siècle plus tard, il fut prouvé qu'il s'agissait de jeunes anguilles d'eau douce qui pondent dans la mer. Leurs larves (les civelles) cheminent vers l'Amérique du Nord et l'Europe, où elles se faufilent dans les rivières.

MÉGALODON

REQUIN BLANC

DES GÉANTS IMPLACABLES

Les premiers peuples de la Méditerranée prenaient les dents de requins fossilisées pour des langues de serpents transformées en pierre. Certaines dents atteignent 12 cm de hauteur et semblent suggérer l'existence du mégalodon, un requin aujourd'hui disparu, qui pouvait mesurer 30 m de long !

LES CRÉATURES DU DIABLE

Les étranges "cornes" dont est pourvue la raie manta lui ont valu le surnom de "diable de mer". On pensait qu'il s'agissait d'un dangereux prédateur, mais les plongeurs d'aujourd'hui nagent en toute sécurité avec ces géants. Malgré sa taille imposante, la raie manta demeure inoffensive et se nourrit uniquement de plancton (minuscules organismes en suspension dans la mer). Les "cornes" l'aident simplement à diriger dans sa gueule l'eau riche en plancton.

« De temps à autre, je sentais comme une légère vibration et le câble semblait donner du mou. On apprit qu'une houle traversière s'était levée... On allait et venait à 923 m sous l'eau et... allait-on pouvoir remonter ? » William Beebe, lors de sa descente record en bathysphère, en 1934.

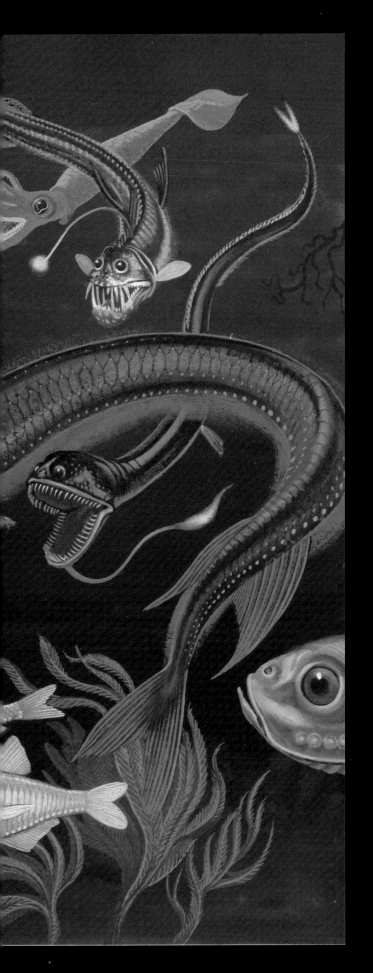

Les
ABYSSES

À des milliers de mètres sous l'océan, l'eau est glacée. Il fait noir comme dans un four et la pression est assez forte pour broyer un être humain comme une coquille d'œuf. Tels sont les problèmes que doivent affronter à la fois les explorateurs des abysses et les animaux qui y ont élu domicile.

Ces derniers résolvent ces problèmes de façon fort ingénieuse. La plupart des poissons des grands fonds disposent de parties du corps luminescentes qui leur permettent de chasser et de s'accoupler. Certains calmars crachent une "encre" (un liquide) phosphorescente pour confondre les prédateurs. Dans les abysses, la nourriture est rare, aussi beaucoup de poissons possèdent des mâchoires énormes et des estomacs pouvant se dilater de façon à dévorer des proies aussi grosses qu'eux !

Les explorateurs descendent à bord de submersibles (sous-marins de haute mer) construits en matériaux très résistants. Ils emportent de l'eau, des vivres et sont bien chauffés à l'intérieur. En outre, ils disposent de puissants projecteurs permettant à l'équipage d'observer la vie abyssale.

Fosses et cheminées
OCÉANIQUES

ON TOUCHE LE FOND !
*Le 23 janvier 1960,
Donald Walsh
et Jacques Piccard
ont plongé dans le plus profond
des ravins abyssaux, la fosse
des Mariannes, à bord du bathyscaphe
Trieste. Quatre heures plus tard,
ils touchaient le fond, après une
descente d'environ 11 000 m !*

Avec le même désir ardent qui pousse à escalader les plus hauts sommets sur terre, l'être humain a toujours souhaité plonger dans les profondeurs et explorer le "cosmos" océanique. Ces trente dernières années, les submersibles de recherche en haute mer ont rendu possible un tel exploit. La plupart peuvent opérer jusqu'à environ 1 000 m sous l'eau, mais la majeure partie du plancher océanique se trouve encore en dessous. Le record de plongée est toujours détenu par le bathyscaphe *Trieste*, descendu au plus profond de l'océan en 1960. Grâce à de tels submersibles, les scientifiques ont découvert des volcans sous-marins, des cheminées d'eau chaude et de nombreux animaux que l'on n'avait jamais imaginés auparavant.

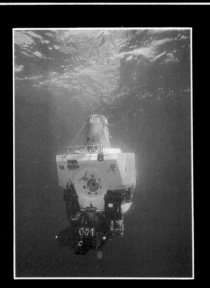

Le plancher océanique
De nos jours, les chercheurs peuvent explorer le fond des mers dans de petits submersibles tels que l'*Alvin,* construit en 1964.
Doté d'instruments qui mesurent, filment et recueillent l'eau et les animaux alentours, l'engin se déplace librement mais ne peut pas descendre au-dessous de 4 000 m de profondeur. Par ailleurs, l'*Alvin* a découvert toute une faune sous-marine autour des cheminées abyssales (voir page 97).

DES OASIS DE VIE

Dans les grands fonds, l'eau est glacée, mais des sources hydrothermales peuvent jaillir de crevasses volcaniques, ou cheminées, dans le plancher océanique. En 1977, des scientifiques explorent l'une de ces cavités à 2 000 m de profondeur, non loin des îles Galápagos. Elle grouille de vers tubiformes (en forme de tubes) appelés Riftias, de crabes et de poissons ; tout ce petit monde se nourrit de bactéries et les plus gros mangent les plus petits. Toute la chaîne alimentaire repose ici sur la chimiosynthèse : les bactéries trouvent leur nourriture dans le soufre et les minéraux s'échappant des cheminées ou sources hydrothermales.

LES FUMEURS NOIRS

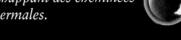

Le Nautile a découvert des cavités sous-marines non loin de Mexico, où se sont formées de hautes cheminées de dépôts minéraux solidifiés. L'eau chaude jaillit de ces sources hydrothermales à une température pouvant atteindre 350 °C. En s'échappant de la roche, elle se mélange aux minéraux (le soufre, notamment) et devient noire comme de la fumée, d'où l'appellation "fumeurs noirs".

LE SUBMERSIBLE

à propulsion nucléaire est la version géante des véhicules destinés aux grands fonds. Les petits vaisseaux de recherche ne peuvent rester que quelques jours en immersion, tandis que les sous-marins nucléaires sont capables de demeurer jusqu'à deux ans sous l'eau ! Ils sont énormes et peuvent transporter un équipage important.

AU PLUS PROFOND

Un des points les plus profonds que l'on connaisse est celui de la fosse Challenger des Mariannes (10 916m). À cet endroit, la pression de l'eau atteint 1,25 tonne par cm^2 (voir page 96).

Quelle est la montagne sous-marine la plus haute ?
C'est le mont Kea, situé sous l'océan Pacifique. Il s'élève jusqu'à 10 000 m au-dessus du plancher océanique. Comparé à l'Everest, la plus haute montagne terrestre, il la dépasse de presque 2 000 m... bien qu'il demeure invisible à la surface de l'eau !

La vie des grands
F O N D S

Pour les chercheurs, l'un des plus gros défis consiste à découvrir quelles mystérieuses créatures vivent dans les profondeurs des océans. Des animaux délicats comme la méduse se désagrègent dès qu'on les remonte en surface, car leurs corps trop fragiles ne supportent pas les énormes changements de température et de pression.

Ces dernières années, grâce aux bras téléguidés très sensibles dont sont dotés les submersibles, on a pu collecter de nouvelles espèces. Avec ces engins, les scientifiques peuvent placer délicatement les animaux dans des récipients spéciaux qui les protègent, avant de les sortir de l'eau. Car tout chercheur passionné rêve d'être le premier à découvrir une espèce jusque-là inconnue !

Jusqu'à quelle profondeur trouve-t-on des poissons ?
La plus grande profondeur où l'on a pêché un poisson se situe à 8 000 m sous la surface de l'océan Atlantique. Il s'agissait d'une sorte d'anguille, prise par le Dr Gilbert L. Voss en 1970. Cependant, on a aperçu une créature vivante à 11 000 m sous la surface du Pacifique ; sans doute un concombre de mer plat.

DES MÂCHOIRES GÉANTES !
Surnommé "Mégabouche", c'est le plus mystérieux de tous les requins. On l'arrache pour la première fois à ses eaux profondes en 1976. Il peut atteindre 5 m de long et pèse au moins 750 kg. Avec sa gueule énorme et ses dents minuscules, il se nourrit uniquement de petits animaux. Quel soulagement !

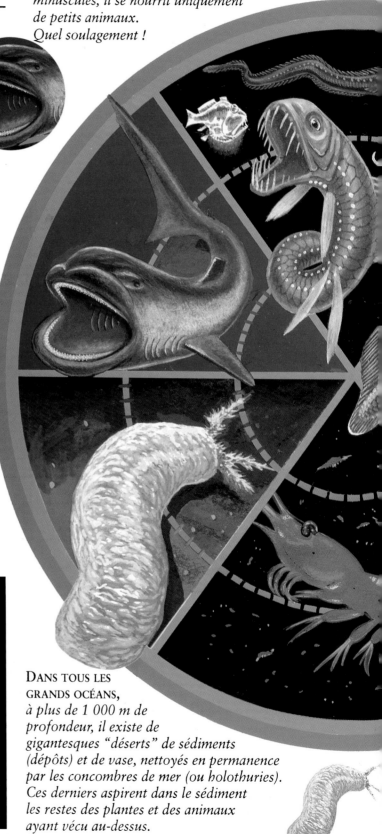

DANS TOUS LES GRANDS OCÉANS,
à plus de 1 000 m de profondeur, il existe de gigantesques "déserts" de sédiments (dépôts) et de vase, nettoyés en permanence par les concombres de mer (ou holothuries). Ces derniers aspirent dans le sédiment les restes des plantes et des animaux ayant vécu au-dessus.

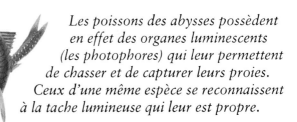

LES HABITANTS DES PROFONDEURS

Plongez à plus de 600 m sous l'eau et vous vous retrouverez dans un monde de ténèbres, où surgissent çà et là d'étranges éclairs lumineux.

Les poissons des abysses possèdent en effet des organes luminescents (les photophores) qui leur permettent de chasser et de capturer leurs proies. Ceux d'une même espèce se reconnaissent à la tache lumineuse qui leur est propre.

Un fossile vivant ?

Le cœlacanthe (ci-contre) a l'air de sortir tout droit de la préhistoire ! Avant 1938, on n'avait découvert que des cœlacanthes fossilisés datant de plus de 70 millions d'années. Cette année-là, un spécimen est pêché puis emmené dans un musée d'Afrique du Sud.

Malheureusement, ce "fossile vivant" risque de disparaître de la planète. Il n'en reste en effet que quelques centaines, dans des profondeurs de 150 à 300 m, non loin des Comores, entre Madagascar et le Mozambique.

D'ÉTRANGES NUANCES

Dans l'eau, chaque couleur ne pénètre que jusqu'à une certaine profondeur. Le rouge est la première à disparaître, aussi les animaux de cette teinte paraissent presque noirs dans les grands fonds. De nombreuses créatures abyssales, telles que les crevettes bouquet (ci-dessus) et les araignées de mer (ci-dessous) sont rouges ; ce qui leur permet de se camoufler dans leur monde de ténèbres.

LES MÉDUSES

On trouve de nombreuses sortes de méduses et d'animaux similaires au fond des océans. Certaines sont grandes, comme la méduse crinière de lion, dont le corps atteint jusqu'à 2 m de large. La plupart luisent de couleurs vives en se déplaçant et paralysent d'autres créatures en les piquant avec leurs tentacules.

« *Et c'est alors qu'elle a surgi juste devant nous : un long bloc d'acier rouillé qui émergeait du fond... la coque massive du Titanic ! J'avais l'impression d'être un voyageur de l'espace, en train de scruter les murailles d'une cité extraterrestre, sur une quelconque planète déserte.* »
Robert Ballard, océanographe.

Des richesses sous
L'OCÉAN

Au fil des siècles, on ne compte plus
les épaves et tous les trésors engloutis dans
les grands fonds océaniques. Aujourd'hui,
grâce à la technologie, on parvient à
remonter certaines de ces richesses.
On peut immerger des robots submersibles,
pourvus de caméras vidéo, pour découvrir
des trésors et aider les chercheurs à trouver
les moyens de les récupérer.

Les plongeurs amateurs adorent explorer
les épaves enfouies et certains ont même
participé à la découverte de véritables
joyaux archéologiques. Ainsi, le
renflouement de la célèbre épave du *Mary
Rose* est dû en grande partie à une équipe
de volontaires. De même, en 1995, des
plongeurs finiront par dégager du fond de la
Méditerranée une épave de l'âge du bronze,
datant de 3 313 ans. Ces objets, témoins du
passé, représentent une foule de
renseignements sur notre histoire. Grâce à
la vase et au sable, les épaves peuvent se
conserver dans la mer pendant des milliers
d'années. Ce qui les rend d'autant plus
difficiles à repérer ! Les archéologues
doivent creuser le sédiment avec soin,
comme ils le font lors des fouilles terrestres.

La chasse au
TRÉSOR

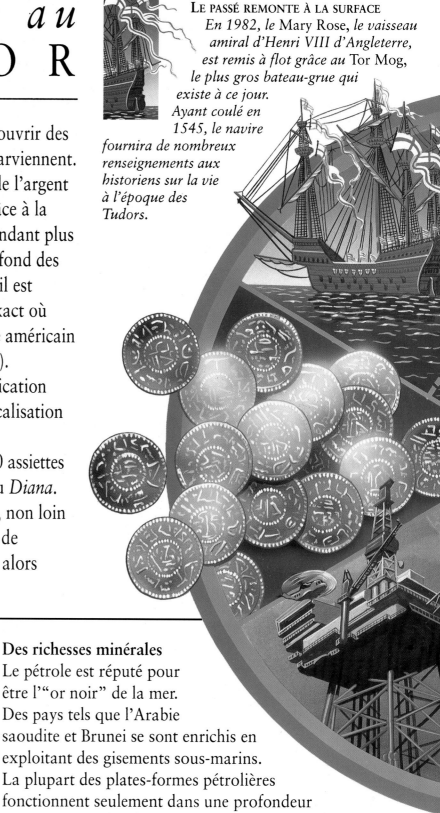

LE PASSÉ REMONTE À LA SURFACE
En 1982, le Mary Rose, le vaisseau amiral d'Henri VIII d'Angleterre, est remis à flot grâce au Tor Mog, le plus gros bateau-grue qui existe à ce jour. Ayant coulé en 1545, le navire fournira de nombreux renseignements aux historiens sur la vie à l'époque des Tudors.

Beaucoup de gens rêvent de découvrir des trésors engloutis... mais peu y parviennent. La réussite nécessite du temps, de l'argent et un équipement spécialisé. Grâce à la technologie moderne, il est cependant plus facile de découvrir un trésor au fond des mers. Une fois qu'on l'a repéré, il est possible de revenir à l'endroit exact où il se situe, en utilisant le système américain GPS (Global Positioning System). Il s'agit d'un réseau de communication par satellites, qui permet une localisation précise à quelques mètres près.

En 1994, on a récupéré 24 000 assiettes de grande valeur dans l'épave du *Diana*. Le bateau avait échoué en 1817, non loin de Singapour, à seulement 32 m de profondeur, mais le sable l'avait alors rapidement enseveli.

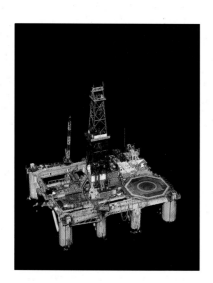

Des richesses minérales
Le pétrole est réputé pour être l'"or noir" de la mer. Des pays tels que l'Arabie saoudite et Brunei se sont enrichis en exploitant des gisements sous-marins. La plupart des plates-formes pétrolières fonctionnent seulement dans une profondeur inférieure à 200 m. Aujourd'hui, il existe cependant des navires de forage capables d'extraire le pétrole à des endroits bien plus profonds.

LA CHASSE AUX ÉPAVES

Des instruments modernes, les sonars, permettent de localiser de nombreuses épaves. Ils transmettent des ondes sonores sur le fond marin et captent l'écho qu'ils reproduisent sous forme de graphique en relief (ci-contre).

Quelle est la plus vieille épave connue à ce jour ? Elle date du XIVe siècle av. J.-C. et sommeille encore au fond de l'eau, au large des côtes de Turquie.
Les océans renferment-ils d'autres trésors naturels ?
L'eau de mer contient de minuscules quantités d'or, mais pas suffisamment pour en justifier l'extraction (malheureusement !). On peut toutefois y puiser d'autres éléments de valeur, tels que le magnésium ou le brome (élément atomique).

UN TERRIBLE DÉSASTRE

En 1912, le plus grand paquebot du monde, le Titanic, heurte un iceberg. Plus de 1 500 personnes périront dans ce naufrage, tandis que le navire sombre à 4 000 m de profondeur. Grâce à un matériel ultramoderne (ci-dessous), l'épave sera découverte en 1985.

Depuis, des scientifiques sont allés observer en submersible les vestiges du vaisseau tristement célèbre.

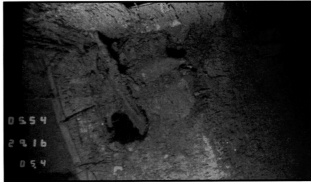

BELLE PRISE !
En 1994, Bob Hudson, un spécialiste du sauvetage de vieux navires, réalise un beau coup de filet, grâce à un bras téléguidé : tout un lot de pièces d'argent en provenance du John Barry, un vaisseau torpillé en mer d'Arabie en 1944. Parmi d'autres prises récentes, citons des lingots d'or et des poteries de grande valeur.

DES DONS DE LA NATURE
On trouve des nodules de manganèse sur le plancher océanique, à environ 4 000 m de profondeur. Ces petits cailloux noirs, qui mettent des millions d'années à se former, contiennent des métaux comme le cuivre et le nickel. Actuellement, des techniques spéciales d'extraction sont mises au point afin de les récupérer.

L'exploration des GRANDS FONDS

Les premiers films de Hans et Lottie Hass, ainsi que ceux de Jacques-Yves Cousteau, ont permis au grand public de découvrir les merveilles du monde sous-marin sur leur petit écran. Aujourd'hui, avec des combinaisons et un équipement vidéo modernes, n'importe qui peut plonger dans les océans et sonder ses secrets aquatiques.

Louis Boutan, l'inventeur du premier appareil photo sous-marin, serait stupéfait de voir les jetables étanches que l'on trouve actuellement sur le marché. Certaines stations balnéaires négligent à présent les promenades classiques en mer au profit des excursions sous-marines.

Bientôt, chacun pourra sans doute acquérir son propre submersible de poche !

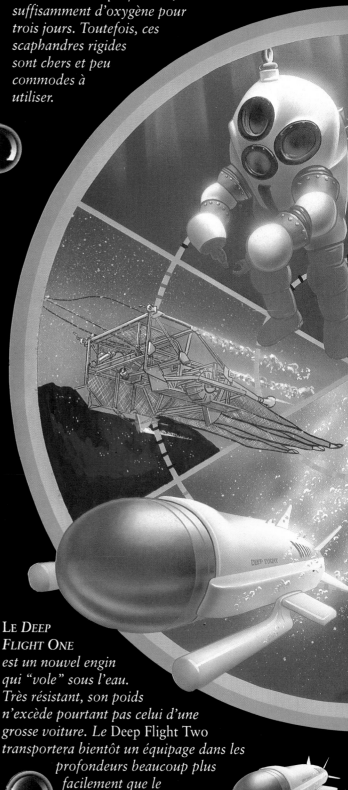

DES SCAPHANDRES PRESSURISÉS
Certaines tenues de plongée ressemblent à de véritables sous-marins miniatures ! Le Wasp et le Jim (ci-contre) sont très appréciés et permettent au plongeur d'atteindre 500 m de profondeur, avec suffisamment d'oxygène pour trois jours. Toutefois, ces scaphandres rigides sont chers et peu commodes à utiliser.

Les sous-marins peuvent-ils se perdre ?
Le 1er septembre 1973, on repêcha un petit submersible, le *Pisces III*, à 480 m de profondeur. Pendant trois jours, deux hommes s'étaient trouvés pris au piège à l'intérieur, après avoir perdu le contrôle de leur engin et tout contact radio avec leur navire en surface. Le sauvetage nécessita l'emploi de deux submersibles et d'un véhicule robot.

LE DEEP FLIGHT ONE
est un nouvel engin qui "vole" sous l'eau. Très résistant, son poids n'excède pourtant pas celui d'une grosse voiture. Le Deep Flight Two transportera bientôt un équipage dans les profondeurs beaucoup plus facilement que le bathyscaphe Trieste, réputé peu maniable.

PÊCHER DANS LES GRANDS FONDS

Grâce à des traîneaux spéciaux équipés de filets, les scientifiques peuvent capturer des animaux du fond des mers. Tracté par un navire au bout d'un câble qui peut atteindre 15 m de long, le traîneau est en contact avec le fond et drague les sédiments. Il transporte aussi des instruments pour analyser l'eau, des appareils photo ou des caméras vidéo.

SAFARI-PHOTO OCÉANIQUE

Les chercheurs se mettent à jeter à l'eau leur appareil photo ! Le Bathysnap (ci-contre) est un dispositif spécial qui s'enfonce dans les profondeurs et prend des photos des animaux étranges qui y séjournent. Une fois la pellicule finie, l'appareil se détache automatiquement du poids qui le retient au fond et remonte en surface.

Souriez, les poissons !

En 1893, Louis Boutan prend la première photo sous-marine (à gauche), mais son appareil se révèle lourd et peu commode.

Ceux d'aujourd'hui sont petits, légers et nous permettent de découvrir de nombreux mystères des océans. Des lampes spéciales accentuent certaines couleurs. Grâce à la commande à distance, des caméras vidéo ou des appareils photo peuvent transmettre des images aux scientifiques installés dans les navires de recherche. Celles-ci peuvent aussitôt être envoyées aux laboratoires et aux musées du monde entier.

LE SOUS-MARIN JAUNE

Le scientifique britannique Robert Leeds a récemment conçu un petit "sous-marin jaune" (ci-contre) évoquant une soucoupe volante et prévu pour une exploitation

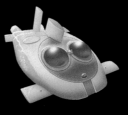

commerciale. Si les tests s'avèrent positifs, vous pourrez peut-être en louer un bientôt et partir en safari sous-marin jusqu'à 50 m de profondeur !

« Il est vrai que nous sommes en train de détruire un monde extraordinaire que nous connaissons à peine, d'une façon quasi-insouciante. Pourtant, il existe de nombreuses solutions pour que cela cesse... il nous faut agir, nous ne pouvons plus repousser l'échéance indéfiniment. »
Greenpeace.

L'avenir des OCÉANS

Dans le futur, nos océans devront affronter toutes sortes de problèmes. En faisant naufrage dans l'océan Arctique, en 1989, le tanker *Exxon-Valdes* a déversé 35 000 tonnes de pétrole, tuant ainsi des milliers d'oiseaux, de loutres, de poissons et d'autres animaux. Chaque année, 20 milliards de tonnes de déchets polluants sont répandus dans l'océan, tandis que beaucoup d'oiseaux marins, de dauphins et de tortues meurent, pris au piège dans les filets de pêche. Par ailleurs, la pêche est devenue si intensive que les poissons n'ont pas le temps de se reproduire.

Toutefois, si nous trouvons des solutions, les océans nous offriront de fabuleuses perspectives. Les astronautes ont vécu jusqu'à une année dans l'espace et bientôt, nous pourrons agir de même dans la mer. Jusqu'ici, les aquanautes ne sont restés sous l'eau que quelques semaines, mais qui sait ?... Peut-être un jour habiterons-nous dans des cités sous-marines. Notre avenir risque fort de dépendre de nos océans. À nous de savoir nous en occuper.

L'habitat SOUS-MARIN

RESPIRER SOUS LA MER

Dans les années soixante, le chercheur américain Waldemar Ayres mit au point une membrane spéciale pour filtrer l'oxygène de l'eau de mer, à travers des "branchies" artificielles. Il respira sous l'eau pendant plus d'une heure.

Qui n'a pas un jour rêvé de vivre sous la mer ? On ne compte plus les histoires fantastiques mettant en scène l'"homme-poisson" et les cités sous-marines. La science a cependant progressé pour que ce rêve devienne réalité. Des chercheurs ont en effet conçu une membrane capable de faire barrage à l'eau, tout en laissant passer l'oxygène. Ils l'ont d'ailleurs testée sur des lapins avec succès. Ce dispositif pourra-t-il permettre un jour aux êtres humains de respirer librement sous l'eau ? Des plongeurs sont d'ores et déjà capables de vivre un certain temps dans des "maisons sous-marines" ou des habitats pressurisés. Ces derniers sont petits et exigus, mais l'on pourra sans doute en construire de plus vastes, dans lesquels les gens pourront vivre et travailler des mois, voire des années.

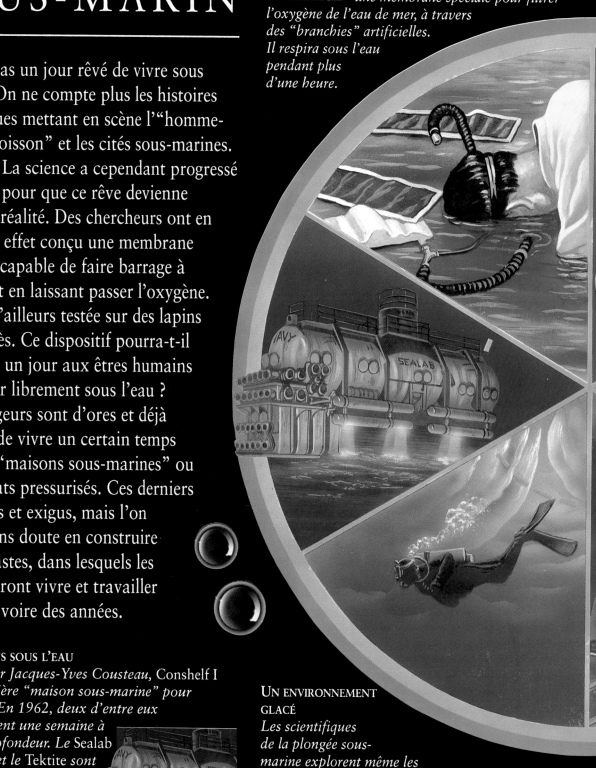

DES MAISONS SOUS L'EAU

Inventée par Jacques-Yves Cousteau, Conshelf I fut la première "maison sous-marine" pour plongeurs. En 1962, deux d'entre eux y séjournèrent une semaine à 10 m de profondeur. Le Sealab (ci-contre) et le Tektite sont des habitats américains dans lesquels des gens ont vécu jusqu'à 30 jours, à environ 200 m sous l'eau.

UN ENVIRONNEMENT GLACÉ

Les scientifiques de la plongée sous-marine explorent même les eaux froides de l'Arctique et de l'Antarctique. Ils y ont découvert des araignées de mer géantes, des anémones et des poissons dotés d'une sorte d'"antigel" dans le sang !

L'AQUACULTURE

De nombreux pays exploitent des "fermes" aquatiques où l'on élève des poissons, des coquillages et cultive des algues pour l'alimentation. La plupart sont installées dans des eaux peu profondes pour surveiller la croissance des animaux et des récoltes. Bientôt, on pourra sans doute pratiquer l'élevage en profondeur, avec des fermiers-plongeurs vivant dans des fermes sous-marines.

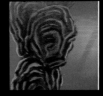

Combien de temps peut-on retenir sa respiration ?
La plupart des gens peuvent retenir leur souffle pendant environ 30 secondes.
En décembre 1994, le Cubain Francisco "Pipin" Ferreira plongea en apnée à 125 m, en retenant sa respiration pendant 2 minutes et 26 secondes.
ATTENTION : IL EST TRÈS DANGEREUX DE RETENIR SA RESPIRATION, NE VOUS AMUSEZ PAS À LE FAIRE !

PLONGER SANS RISQUE

Le scaphandre autonome permet quasiment à n'importe qui de plonger et d'explorer les grands fonds. Mais l'air comprimé qu'utilisent la plupart des plongeurs n'est pas sûr au-dessous de 50 m de profondeur.

Des mélanges spéciaux de nitrogène ou d'hélium et d'oxygène permettent aux plongeurs confirmés de descendre à 100 m. En dessous, ils utilisent une cloche à plongeur qui leur sert de base pour travailler jusqu'à environ 400 m sous l'eau.

Les cités du futur

De nombreux livres et films ont exploré toutes les possibilités offertes aux êtres humains pour vivre sous l'eau, dans des villes spécialement conçues à cet effet. D'ores et déjà, des sociétés proposent des séjours en hôtel immergé (ci-contre), où les clients peuvent observer les poissons, plonger avec un tuba ou en scaphandre autonome. Mais à mesure qu'augmente la population du globe, les habitats sous-marins auront-ils un usage plus sérieux ? À l'avenir, verra-t-on des colonies humaines dans les profondeurs de l'océan ?

Des mystères INEXPLIQUÉS

Malgré la modernité des bateaux et du matériel scientifique actuels, les océans renferment encore de nombreux mystères. Certains, comme la migration des anguilles, ont été expliqués en partie, grâce à une observation de plusieurs années. La vision de créatures assez rares, comme le régalec, est sans doute à l'origine de la légende du serpent de mer. Et si certains ont vu ce dernier livrer bataille contre une baleine, ce n'est pas tout à fait faux, car le cachalot se nourrit de calmars géants. Mais l'on ne peut certes pas tout expliquer. Qui sait si d'autres créatures ne se cachent pas encore dans les profondeurs ténébreuses de l'océan ?

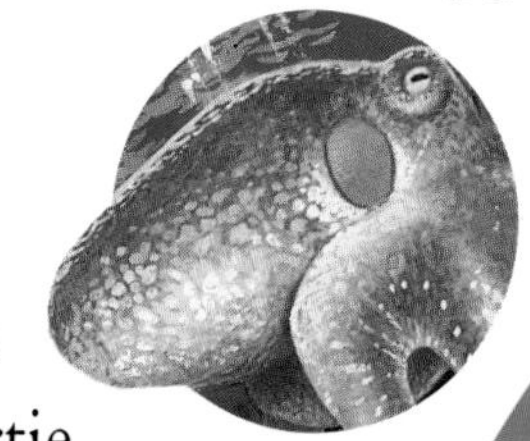

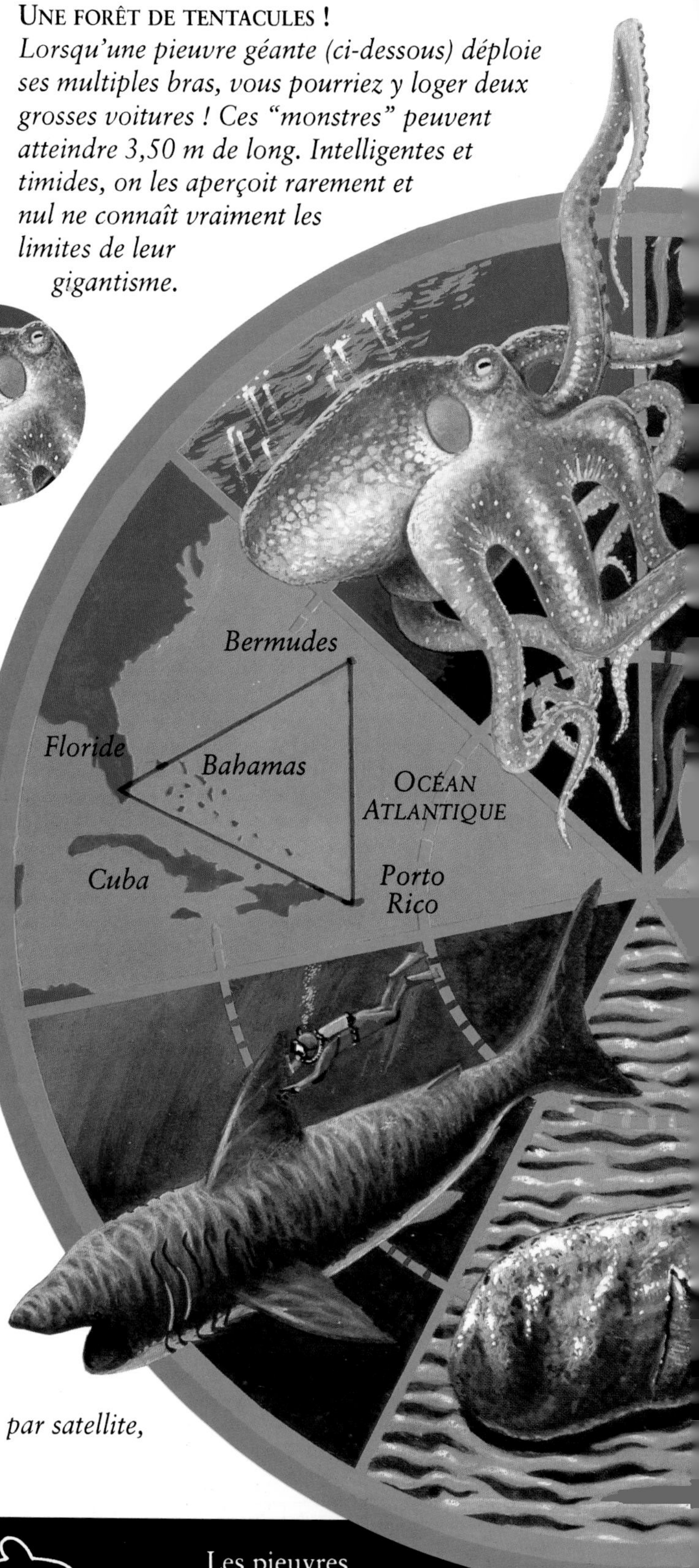

DES GÉANTS VAGABONDS
Chaque année en avril, d'énormes requins des récifs apparaissent en bordure de la grande barrière de corail australienne. Les requins pèlerins (ci-contre) quittent les côtes européennes en hiver, mais nul ne sait où ils vont. On peut les suivre à présent par satellite, en leur fixant des émetteurs radio.

UNE FORÊT DE TENTACULES !
Lorsqu'une pieuvre géante (ci-dessous) déploie ses multiples bras, vous pourriez y loger deux grosses voitures ! Ces "monstres" peuvent atteindre 3,50 m de long. Intelligentes et timides, on les aperçoit rarement et nul ne connaît vraiment les limites de leur gigantisme.

Bermudes

Floride

Bahamas

OCÉAN ATLANTIQUE

Cuba

Porto Rico

Les pieuvres sont-elles dangereuses ? Certaines le sont. La jolie pieuvre à anneau bleu, découverte en Australie, est de petite taille (entre 10 et 15 cm), mais sa piqûre peut tuer une personne en quelques minutes !

Les pieuvres sont pourvues de trois cœurs, mais cela ne les rend pas plus résistantes pour autant. Elles se fatiguent très vite et abandonnent le combat dès qu'il devient trop difficile.

DE MYSTÉRIEUSES MIGRATIONS

Beaucoup d'animaux aquatiques accomplissent de longues migrations, mais la façon dont ils trouvent leur chemin demeure encore un mystère. Dans le passé, les gens croyaient que les longs poils de la queue d'un cheval se métamorphosaient en jeunes anguilles,

dès qu'on les jetait dans l'eau d'une rivière. De nos jours, on sait que celles-ci nagent sur des milliers de kilomètres depuis la mer des Sargasses pour rejoindre les rivières (voir page 93). Comment se dirigent-elles ? Cela reste un mystère.

L'effroyable Kraken !

Pendant des siècles, toutes sortes d'histoires ont circulé sur le Kraken... une sorte de gigantesque pieuvre. Cette légende nordique s'inspire sans doute du calmar géant qui peut mesurer 15 m de long et dont les tentacules ont pu être prises pour des serpents de mer.

LE SERPENT DES ABYSSES !

Vivant dans les profondeurs, l'étrange régalec peut atteindre la longueur stupéfiante de 7 m. Avec sa "crête" et ses ailerons rouge vif, on pourrait le confondre avec un serpent de mer. Toutefois, certaines apparitions demeurent inexpliquées. En 1817, de nombreux individus auraient aperçu un gigantesque "serpent de mer" dans le Massachusetts, aux États-Unis, pendant plusieurs semaines... mais l'identité de la créature demeure à ce jour énigmatique.

LE TRIANGLE DE LA MORT

Plus de 70 bateaux et une vingtaine d'avions auraient disparu dans le célèbre triangle des Bermudes, dans l'océan Atlantique. Espérons que les futures recherches pourront expliquer leur disparition.

DES "MONSTRES" ÉCHOUÉS ?

Au siècle dernier, on a retrouvé d'énormes masses (de 5 à 10 tonnes) de créatures marines mortes, échouées sur les rivages du monde entier. Serait-ce les morceaux de monstres marins inconnus ?

La toute-puissance de l'océan

À mesure que progressent la science et la technologie, les océans livrent peu à peu leurs secrets. Toutefois, la route est longue avant que l'être humain ne puisse tout comprendre de cet univers sombre et mystérieux, où règnent des monstres géants et de fabuleuses créatures... un univers où nous demeurerons sans doute toujours des étrangers.

VIe *siècle av. J.-C.* *Pythagore prouve que la Terre est ronde*

Vers 5000 av. J.-C. *Apparition des légendes de déesse à queue de poisson*

Vers 3000 av. J.-C. *Les pêcheurs de perles réalisent les premiers records de plongée ; les Égyptiens inventent la marine à voile*

Vers 1500 av. J.-C. *Éruption volcanique sur l'île de Santorin*

Vers 750 av. J.-C. *Homère décrit le tourbillon de Charybde*

Vers 50 av. J.-C. *Mela dessine une carte de la Terre en forme de roue*

Vers 1300 apr. J.-C. *Première utilisation de lunettes de plongée en écaille de tortue*

1520 *Magellan traverse l'océan Pacifique*

1522 *Le vaisseau de Magellan fait le tour du monde*

1570 *Ortelius publie le premier grand atlas universel, le* Theatrum orbis terrarum

1690 *Halley invente la cloche à plongeur*

1715 *Invention de la première combinaison de plongée*

1763 *Découverte d'étranges poissons "leptocéphales" dans la mer des Sargasses*

1773 *Phipps mesure les profondeurs des eaux séparant l'Islande et la Norvège avec un fil à plomb*

1807 *Invention du bateau à vapeur aux États-Unis*

1837 *Siebe invente le premier scaphandre*

1860 *Découverte de minuscules créatures vivantes sur un câble sous-marin en Méditerranée*

1865 *Rouquayrol et Denayrouze inventent le premier équipement de plongée indépendant*

1872 *Début de la traversée du navire de recherches océanographiques* Challenger

1893 *Boutan prend les premières photos sous-marines*

1912 *Le* Titanic *heurte un iceberg et fait naufrage*

1915 *Des scientifiques avancent la théorie de la Pangée*

1920 *Première utilisation du sondeur à ultrasons*

1930 *Barton et Beebe plongent pour la première fois en bathysphère*

RIQUE

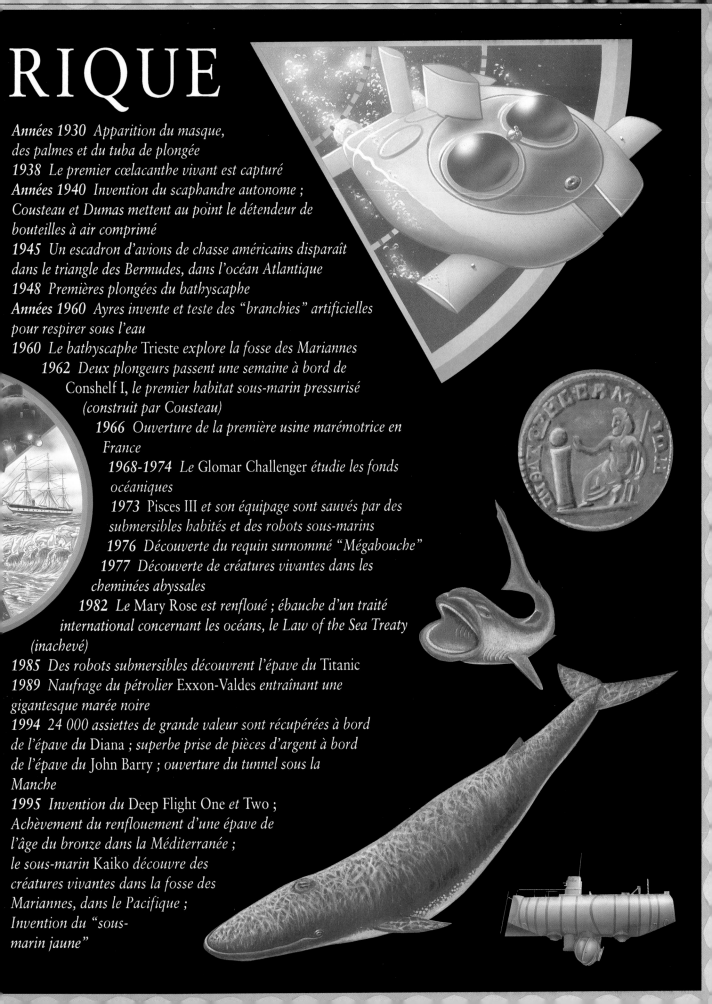

Années 1930 Apparition du masque,
des palmes et du tuba de plongée

1938 Le premier cœlacanthe vivant est capturé

Années 1940 Invention du scaphandre autonome ;
Cousteau et Dumas mettent au point le détendeur de
bouteilles à air comprimé

1945 Un escadron d'avions de chasse américains disparaît
dans le triangle des Bermudes, dans l'océan Atlantique

1948 Premières plongées du bathyscaphe

Années 1960 Ayres invente et teste des "branchies" artificielles
pour respirer sous l'eau

1960 Le bathyscaphe Trieste explore la fosse des Mariannes

1962 Deux plongeurs passent une semaine à bord de
Conshelf I, le premier habitat sous-marin pressurisé
(construit par Cousteau)

1966 Ouverture de la première usine marémotrice en
France

1968-1974 Le Glomar Challenger étudie les fonds
océaniques

1973 Pisces III et son équipage sont sauvés par des
submersibles habités et des robots sous-marins

1976 Découverte du requin surnommé "Mégabouche"

1977 Découverte de créatures vivantes dans les
cheminées abyssales

1982 Le Mary Rose est renfloué ; ébauche d'un traité
international concernant les océans, le Law of the Sea Treaty
(inachevé)

1985 Des robots submersibles découvrent l'épave du Titanic

1989 Naufrage du pétrolier Exxon-Valdes entraînant une
gigantesque marée noire

1994 24 000 assiettes de grande valeur sont récupérées à bord
de l'épave du Diana ; superbe prise de pièces d'argent à bord
de l'épave du John Barry ; ouverture du tunnel sous la
Manche

1995 Invention du Deep Flight One et Two ;
Achèvement du renflouement d'une épave de
l'âge du bronze dans la Méditerranée ;
le sous-marin Kaiko découvre des
créatures vivantes dans la fosse des
Mariannes, dans le Pacifique ;
Invention du "sous-
marin jaune"

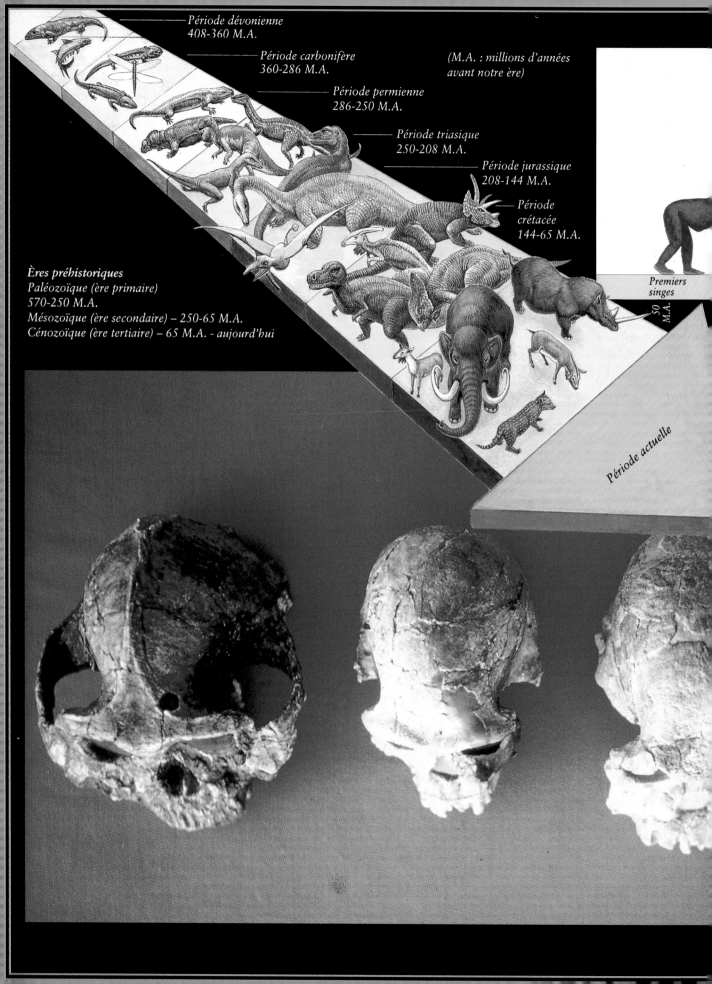

Période dévonienne
408-360 M.A.

Période carbonifère
360-286 M.A.

(M.A. : millions d'années
avant notre ère)

Période permienne
286-250 M.A.

Période triasique
250-208 M.A.

Période jurassique
208-144 M.A.

Période
crétacée
144-65 M.A.

Premiers
singes

50
M.A.

Ères préhistoriques
Paléozoïque (ère primaire)
570-250 M.A.
Mésozoïque (ère secondaire) – 250-65 M.A.
Cénozoïque (ère tertiaire) – 65 M.A. - aujourd'hui

Période actuelle

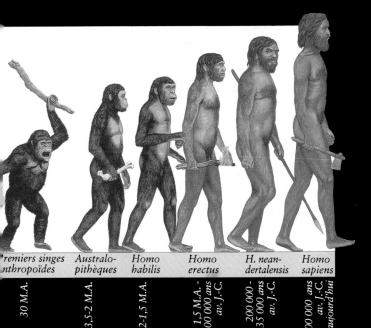

Premiers singes anthropoïdes — 30 M.A.
Australo-pithèques — 3,5-2 M.A.
Homo habilis — 2-1,5 M.A.
Homo erectus — 1,5 M.A. - 200 000 ans av. J.-C.
H. nean-dertalensis — 200 000 - 35 000 ans av. J.-C.
Homo sapiens — 200 000 ans av. J.-C. à aujourd'hui

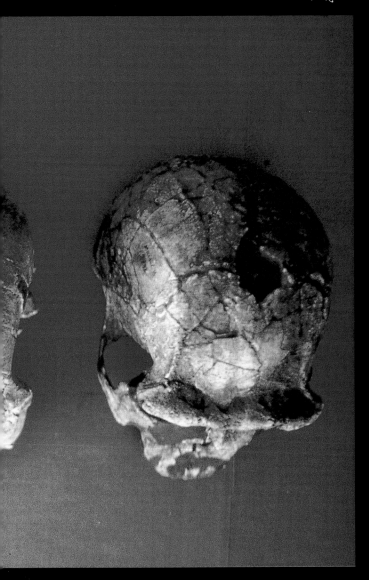

LA PRÉHISTOIRE

« ... Tout le processus vital de la Terre est si progressif et s'étale sur de si longues périodes, comparées à la durée de notre existence, que l'on ne peut observer ces changements. Avant même que l'on ne puisse en établir le déroulement du début à la fin, des nations entières périssent et sont détruites. » Aristote, *Météorologiques*, IV⁰ siècle av. J.-C.

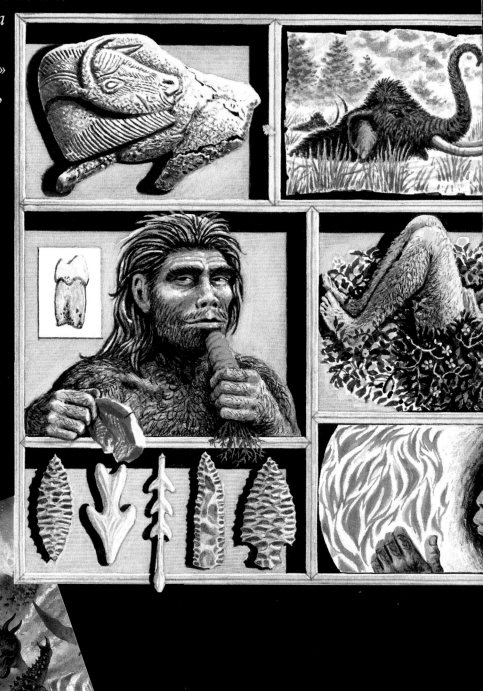

INTRODUCTION

Voici des millions d'années que l'être humain foule le sol de notre planète, bien qu'il ignore l'âge exact de la Terre et le nombre de civilisations qui l'ont précédé. À partir du XVIIIe siècle, on commence enfin à comprendre que les ossements, les coquillages et le charbon découverts dans la roche sont les vestiges de la vie préhistorique : des plantes et des animaux ayant vécu avant que l'homme n'en conserve la moindre trace écrite.

Les scientifiques se lancent alors à la découverte de notre passé, déterrant des dinosaures, des ptérodactyles, des mammouths et mêmes nos ancêtres humains. Mais la Terre nous réserve encore bien des surprises. Les paléontologues (chercheurs qui étudient la vie préhistorique) continuent de découvrir des fossiles qui mettent leurs connaissances à rude épreuve. À mesure que l'on rassemble des renseignements sur des animaux et des plantes disparus, des branches supplémentaires viennent s'ajouter à l'arbre de la vie. Comparées à tout ce qu'il nous reste à découvrir sur notre lointain passé, les nouvelles découvertes sont infimes. À ce jour, nous ne connaissons qu'un pour cent de toutes les espèces qui nous ont précédées et bon nombre d'énigmes demeurent. Pourquoi les dinosaures ont-ils disparu de la surface du globe ? Comment la vie a-t-elle débuté ? Qui étaient nos ancêtres ? Dans le désert, sous la mer et parfois jusque dans notre jardin, des chercheurs explorent le passé ; ils y résolvent d'anciens mystères et en découvrent d'autres...

« En examinant ces restes, vous observerez que la créature possédait deux cerveaux : un à l'intérieur de sa tête (l'endroit habituel) et l'autre à la base de sa colonne vertébrale. »
B.L. Taylor, dans le *Chicago Tribune*, à propos de la découverte d'un stégosaure, en 1912.

Qu'est-ce qu'un DINOSAURE ?

Les dinosauriens, ou dinosaures, constituaient un extraordinaire groupe d'animaux qui vécurent il y a entre 230 et 65 millions d'années. Leurs membres verticaux leur permettaient de se tenir debout et ils balançaient leurs pattes d'avant en arrière en marchant, contrairement aux reptiles et aux amphibiens, dont les pattes s'étalent de part et d'autre de leur corps afin qu'ils puissent ramper. Certains étaient petits, mais la plupart d'entre eux étaient grands, quelques-uns atteignaient une taille gigantesque, et pouvaient peser plus de 100 tonnes.

Les dinosaures se répartissaient en différentes espèces. Parmi les herbivores, citons les petits bipèdes agiles, les ankylosaures armurés et les énormes sauropodes à la lourde démarche. Ils étaient chassés par les théropodes carnivores, tels le velociraptor et l'effroyable *tyrannosaure* (ci-contre).

Les ichtyosaures et les plésiosaures (de gigantesques reptiles marins) régnaient sur les océans, tandis que les ptérosaures volaient dans le ciel. Toutes ces espèces, et un nombre incalculable d'autres animaux et de plantes, disparurent à la fin de l'époque des dinosaures, mais certains groupes, comme les oiseaux et les mammifères, ont survécu.

La première FORME DE VIE

James Ussher écrivait en 1650 que la Terre et la vie firent leur apparition le 22 octobre 4004 av. J.-C. Nous savons aujourd'hui que notre planète est vieille de 4,5 milliards d'années et que la vie y apparut il y a plus de 3 milliards d'années. La première forme de vie était toute simple. Puis les premiers êtres vivants apparurent il y a 600 millions d'années. Ensuite surgirent dans les mers, sous l'aspect de poissons dépourvus de mâchoires, les vertébrés. Les plantes envahirent le globe les premières. Les insectes et les amphibiens suivirent, il y a 400 millions d'années. Les reptiles devinrent des dinosaures et de petites créatures couvertes de poils : les mammifères.

PREMIÈRE VÉGÉTATION
Les plantes furent les premiers organismes à coloniser la planète. Petites et de forme simple, elles procurèrent nourriture et abri aux premiers animaux terrestres, parmi lesquels les scorpions, les araignées, les insectes et même les escargots.

Qu'est-ce qu'un vertébré ?
On appelle ainsi toute créature pourvue d'une colonne vertébrale et d'un crâne. Les premiers vertébrés à peupler nos côtes furent les amphibiens, il y a 400 millions d'années. Ils utilisaient leurs nageoires en guise de membres et possédaient huit orteils (qui plus tard se réduisirent à cinq).
On appelle invertébré toute créature dépourvue d'une colonne vertébrale.

ANIMAUX... OU MATELAS NATURELS ?
Les toutes premières formes de vie étaient de minuscules créatures unicellulaire. Certaines se regroupaient en sortes de tapis appelés stromatolithes (« matelas de pierre »). On en trouve encore en Floride et en Australie-Occidentale.

DES PRESSE-PAPIERS PRÉHISTORIQUES
Souvent utilisées en guise de décoration, les ammonites sont des calmars fossilisés, qui datent du mésozoïque (secondaire).

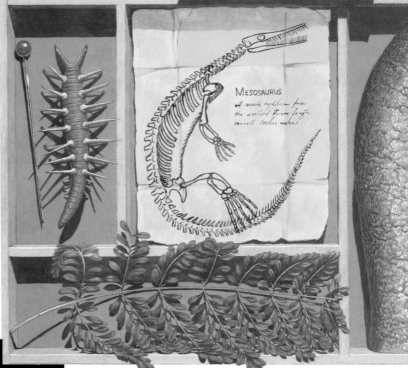

MESOSAURUS

DES REPTILES RAMPANTS
À mesure qu'ils se développaient dans leurs nouveaux habitats, les premiers reptiles terrestres subirent diverses transformations. Certains, comme le mésosaure (ci-contre), regagnèrent la mer, d'autres adoptèrent un mode de vie à sang chaud, se couvrirent de poils et devinrent des mammifères. D'autres encore se mirent à voler. Enfin, les dinosaures devinrent le groupe de reptiles dominant.

DES POISSONS SANS MÂCHOIRES

Les premiers vertébrés étaient de petits poissons comme l'astraspis (ci-dessus). Dépourvue de mâchoires, sa gueule s'ouvrait simplement pour aspirer sa nourriture : de la vase contenant des créatures et des plantes mortes du fond des océans.

Vie et mort d'une espèce

Le naturaliste Charles Darwin (1809-1882) a mis au point la théorie de l'évolution. Selon lui, chaque espèce est en développement constant, afin de s'adapter aux changements de climat et à la nourriture qu'elle peut trouver, sous peine de disparaître.

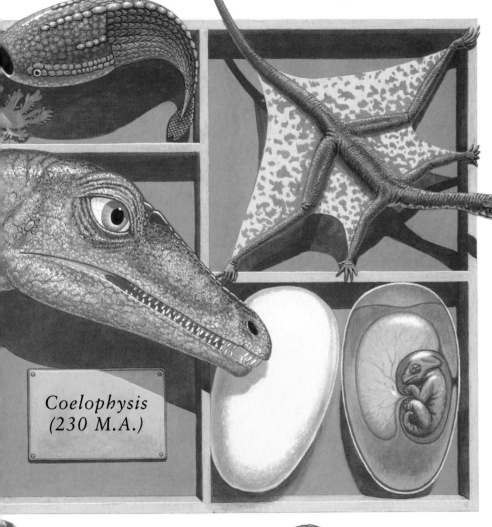

Coelophysis
(230 M.A.)

DÉCOLLAGE TRIASIQUE

Les premiers reptiles se mirent à voler il y a plus de 200 millions d'années. Le sharoviptéryx (ci-contre) utilisait une membrane en guise d'aile, soutenue par ses pattes, afin de descendre en piqué et de planer lorsqu'il chassait les insectes dans les forêts, à la fin du trias.

COQUILLE PROTECTRICE

L'œuf reptilien constituait un abri sûr et nutritif pour le développement de l'embryon (bébé en train de se former). Il permettait aux reptiles de se déplacer librement et à leur espèce de se développer sur de vastes territoires, contrairement aux amphibiens qui devaient pondre sous l'eau.

MEURTRE MYSTÉRIEUX À LA PRÉHISTOIRE

Les premiers reptiles régnaient sur terre il y a environ 250 millions d'années. Beaucoup disparurent pour des raisons qui demeurent inconnues. Vingt millions d'années plus tard, leur ancien habitat fut occupé par les premiers dinosaures, tels que le petit carnivore appelé cœlophysis (ci-contre). Les dinosaures ont-ils simplement pris la relève après une énorme catastrophe naturelle ou ont-ils chassé les premiers reptiles ?

MINUSCULE ET ÉNIGMATIQUE

Il y a 500 millions d'années, la vie apparaissait sous de multiples formes. Parmi elles, l'hallucigenia fut l'une des plus étranges. On sait peu de chose au sujet de cette espèce de chenille dotée de 14 pattes et d'une colonne vertébrale (ci-dessus) !

Les premiers
MYSTÈRES

C'est au début des années 1600 que les chercheurs décrivent pour la première fois les squelettes des dinosaures et d'autres gros animaux. Cependant, les Romains avaient déjà déterré de tels ossements qui ont fait naître des légendes. Le crâne de l'éléphant, ouvert au milieu de la tête, a certainement inspiré la légende du Cyclope qui apparaît dans l'*Odyssée,* un poème de la Grèce antique. Ainsi, pendant des années, on crut que les grands fossiles n'étaient autres que les cadavres d'animaux engloutis par le déluge biblique.

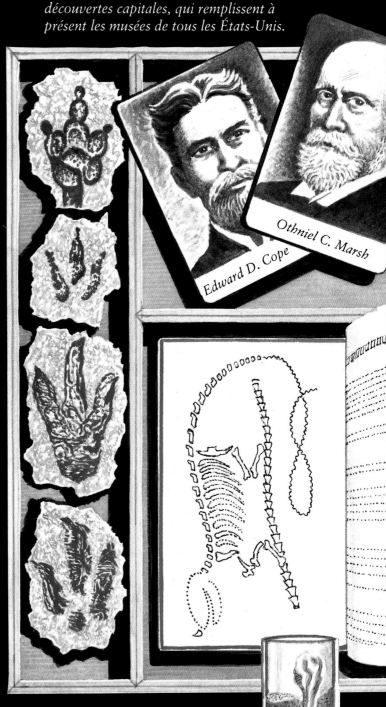

LA GUERRE DES DINOSAURES
À la fin du XIXe siècle, une « guerre » éclata entre deux paléontologues américains, Othniel Marsh et Edward Cope. Ce fut à celui des deux qui rassemblerait le plus de dinosaures possible, non sans les avoir décrits et nommés. Cette rivalité donna lieu à de nombreuses découvertes capitales, qui remplissent à présent les musées de tous les États-Unis.

Edward D. Cope

Othniel C. Marsh

DES EMPREINTES GÉANTES
En 1835, Edward Hitchcock fait la description d'énormes traces de pas découvertes au Massachusetts, États-Unis. Certains pensent alors qu'elles ont été laissées par le corbeau de Noé, mais Hitchcock n'est pas d'accord. Après sa mort, on découvrira qu'elles appartiennent à des dinosaures.

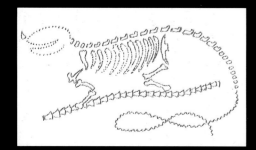

LE GÉANT RECONSTITUÉ
*Gideon Mantell fut l'un des premiers à identifier des os de dinosaures et comprit qu'ils appartenaient à de gigantesques reptiles. Il reconstitua un dinosaure (ci-dessus) qu'il nomma l'*iguanodon.

LES OS DE DRAGON
Dans certaines régions de Chine, on considère encore que les os de dinosaures sont les restes de dragons et on les broie pour en fabriquer des remèdes.

LE « PÈRE » DES DINOSAURES

Richard Owen, un grand paléon-tologue du XIXᵉ siècle, est l'inventeur du nom « dinosaure » (du grec : deinos, terrible, et saura, reptile). Il exposa pour la première fois ses idées en Angleterre, lors d'une conférence en 1841.

AU CINÉMA

Les dinosaures sont apparus dans de nombreux films, de King Kong à Jurassic Park (ci-dessus). C'est en 1912 qu'un gentil sauropode appelé Gertie (ci-dessus, à droite) tient pour la première fois la vedette sur grand écran.

UNE COUVÉE DE DINOSAURES

En 1923, une expédition en Mongolie donne lieu à l'une des premières découvertes d'œufs de dinosaures. Un fossile de dinosaure est également trouvé sur place. Est-ce un voleur d'œufs ? De nouvelles trouvailles démontreront que l'animal n'est autre qu'un parent couvant le nid (voir page 146).

Des dinosaures au palais

Ce fut au Crystal Palace de Londres, en 1853, que l'on exposa les premières statues de dinosaures. Elles stupéfièrent plus d'un badaud à l'époque !

Qui fut le premier à écrire sur les ossements de dinosaures ? La première description d'un os de dinosaure fut publiée en 1676 par Robert Plot, en Angleterre. Il pensait qu'il s'agissait d'un os humain géant. Malheureusement, on a égaré cette pièce de musée.

Enquêtes et HYPOTHÈSES

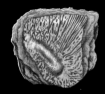

> « J'ai vu l'arrière du crâne et c'était un dinosaure... J'avais découvert LE fossile ! Et je me suis mis à hurler comme jamais... WAAAAAOOOOOWW ! ON L'A TROUVÉ ! »
> Paul Sereno, lors de sa découverte de l'*eoraptor*, en 1994.

L'étude des dinosaures débute avec la découverte et la collecte d'ossements. La plupart des fossiles proviennent de régions reculées, comme le désert de Gobi en Mongolie, les bad-lands de l'Ouest américain et même de l'Antarctique.

La collecte d'ossements est un processus lent, difficile et délicat. Chaque os doit être déterré avec soin puis recouvert de plâtre pour éviter tout détérioration pendant le transport. Au laboratoire, les os sont ensuite préparés et nettoyés à la brosse à dents, au cure-dents et à l'aide de petites perceuses. Les squelettes en bon état sont reconstitués pour être exposés dans les musées, soutenus par une structure d'acier ou suspendus au plafond par de minces câbles. Les scientifiques mesurent, dessinent, photographient et décrivent avec soin chaque os.

De telles études sont à l'origine de toutes nos idées et théories sur les dinosaures. Les rochers qui contiennent les carcasses de dinosaures, ainsi que les restes d'autres plantes et animaux fossiles, nous renseignent abondamment sur ces monstres de jadis et sur le monde dans lequel ils vivaient.

Vie quotidienne d'un DINOSAURE

Casse-croûte préhistorique

Les dents de dinosaures nous informent en détail sur l'alimentation de ces monstres. Les hadrosaures possédaient une véritable « batterie » de dents (ci-contre) pour broyer les aiguilles de conifères. Les os, les graines ou les feuilles découverts dans les fossiles nous indiquent aussi comment s'alimentaient les différents types de dinosaures.

Grâce aux fossiles, nous connaissons beaucoup mieux les dinosaures. Les squelettes nous renseignent sur leur taille et leur forme, et peuvent nous indiquer à quel âge ils sont morts et s'ils avaient contracté des maladies, tandis que leurs dents et leurs excréments nous apprennent comment ils se nourrissaient et de quoi se composait leur alimentation. En soufflant dans les maquettes de leur museau, on peut même reproduire le son qu'ils émettaient. Mais de nombreuses énigmes restent à élucider. Nous ignorons toujours la température ou la couleur exacte de leur corps, le nombre des espèces et la raison de leur disparition.

DES DINOSAURES GÉANTS
Les sauropodes tels que le brachiosaure *furent les plus grands animaux terrestres. Découvert récemment aux États-Unis, le* séismosaure *mesurait jusqu'à 50 m de long et pesait 100 tonnes !*

DES CRÉATURES INTELLIGENTES
La plupart des dinosaures étaient pourvus d'un petit cerveau (comme celui-ci, qui appartient au tyrannosaure*). Certains chasseurs possédaient toutefois un cerveau plus développé et devaient sans doute être aussi intelligents que leurs descendants, les oiseaux.*

ATTAQUE GROUPÉE
Certains dinosaures carnivores, comme le deinonychus *(ci-contre), devaient attaquer en groupe, afin de capturer de grosses proies. Une attaque groupée de* deinonychus *se révélait bien plus dangereuse que celle d'un seul* tyrannosaure.

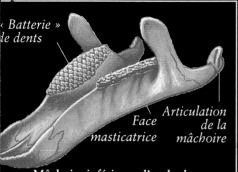

« Batterie »
de dents

Face
masticatrice

Articulation
de la
mâchoire

Mâchoire inférieure d'un hadrosaure

EMPREINTES DU PASSÉ

On trouve des centaines d'empreintes de dinosaures dans d'anciennes plaines sablonneuses ou marécageuses. Elles nous indiquent que de petits dinosaures pouvaient courir vite et que beaucoup d'entre eux, même les gigantesques sauropodes, se déplaçaient en troupeaux.

HABITUDES DE PONTE

Tous les dinosaures devaient sans doute pondre. La plupart des œufs étaient de forme ovale et d'une largeur comprise entre 15 cm et la taille d'un ballon de football. En général, les couvées étaient disposées en cercle, mais on a retrouvé certaines d'entre elles assemblées en spirale ou même alignées. Nul ne connaît la raison de telles dispositions.

Empreintes de sauropode

Qu'est-ce qu'une espèce ?
L'espèce est l'unité de base de la classification animale. Les membres d'une même espèce possèdent des caractéristiques similaires, qui les différencient des autres créatures. Le « genre » regroupe des espèces semblables.

POUR TROMPER L'ENNEMI

Les dinosaures herbivores devaient se protéger des carnivores. Ainsi, les stégosaures (ci-dessus) se sont couverts d'épines et de piquants, tandis que les ankylosaures (ci-dessous) possédaient une véritable « armure » et une queue articulée, hérissée de pointes.

EFFRAYANT... MAIS LENT

Le tyrannosaure pesait dans les 6 à 8 tonnes et atteignait péniblement les 35 km à l'heure. Peu agile, s'il tombait en courant, il risquait de se blesser ou de mourir sur-le-champ. Un être humain aurait pu facilement le distancer.

NOMS DE FAMILLE

Chaque nom de dinosaure se compose de deux parties : le genre (groupe d'espèces) et l'espèce. Le nom nous renseigne sur l'animal en question. Velociraptor mongoliensis, par exemple (à gauche), signifie « chasseur rapide de Mongolie ».

Questions sans
RÉPONSES

Les scientifiques sont nombreux à étudier les dinosaures, et l'on a découvert plus de dinosaures ces vingt dernières années qu'au cours des deux siècles précédents. Toutefois, on ignore encore beaucoup de choses sur ces stupéfiantes créatures. Aucun autre animal vivant ne ressemble aux dinosaures et seuls les fossiles peuvent nous renseigner à leur sujet. Plusieurs découvertes importantes ont eu lieu récemment : des nids, une peau fossilisée, un dinosaure en train de couver et plusieurs nouvelles espèces. Les chercheurs d'aujourd'hui sont aussi mieux renseignés sur les animaux et les plantes qui existaient à l'époque des dinosaures.

COMBIEN EXISTE-T-IL D'ESPÈCES ?
Les paléontologues ont découvert environ 1 000 espèces de dinosaures, soit une infime partie de toutes celles qui ont existé. Comme chaque espèce comptait des millions d'individus, même si un seul sur un million fut fossilisé, des milliers d'autres restent encore à découvrir et il faudra également leur trouver un nom !

À QUI APPARTIENT SUE ?
En 1992, le FBI procéda à l'« arrestation » de Sue, le tyrannosaure faisant l'objet d'une bataille juridique pour déterminer son propriétaire. Nul ne sait quand Sue sortira de prison !

UN DINOSAURE TRÈS ÉTRANGE
Parmi les singuliers fossiles de dinosaures découverts dans le désert de Gobi, ceux du ségno-saure (ci-contre) se révèlent les plus étranges. Doté d'une sorte de bec sans dents, d'un long cou, d'un corps volumineux, d'énormes griffes et de courtes pattes, on ignore tout de son origine. Cependant, la découverte récente de nouveaux fossiles risque fort d'éclaircir ce mystère.

Animaux à sang chaud ou à sang froid ?
Tout d'abord, on pensa que les dinosaures étaient des créatures à sang froid. En 1967, quelqu'un émit l'idée qu'il pouvait s'agir d'animaux à sang chaud, compte tenu de leur posture, de leur ossature et de leur alimentation. Mais la plupart des scientifiques réfutèrent cette hypothèse. Selon eux, les dinosaures possédaient un sang froid ou tiède. De nouvelles études sur leur système respiratoire semblent le confirmer.

LES DINOSAURES D'AUJOURD'HUI

Le Monde perdu *de sir Arthur Conan Doyle (ci-contre) fut l'un des premiers ouvrages suggérant l'existence des dinosaures. De nombreuses personnes affirment avoir aperçu des sauropodes vivants en Afrique, mais aucune expédition n'en a jamais découvert.*

LE DINOSAURE CANNIBALE

Un squelette de cœlophysis *(voir page 121) découvert récemment contenait les restes d'un autre* cœlophysis *dans sa cage thoracique. L'animal à l'intérieur est trop grand pour qu'il s'agisse d'un embryon... cela ne peut donc être que le dernier repas d'un dinosaure cannibale.*

Le
MONDE
PERDU

*Sir Arthur
Conan Doyle*

Brachiosaure

LES ÉTONNANTS SAUROPODES

comme le brachiosaure *(ci-contre) dévoraient l'équivalent de 50 balles de foin par jour ! Comment parvenaient-ils à engouffrer toute cette nourriture dans une si petite gueule ?*

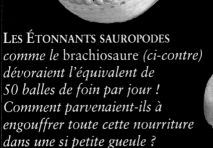

La fin des dinosaures

« Pourquoi les dinosaures ont-ils disparu ? », telle est la question que l'on pose le plus souvent aux paléontologues. Un expert en dinosaures dénombra plus d'une centaine de théories censées expliquer cette disparition ! Mais l'on ignore toujours laquelle de ces hypothèses est la bonne. La planète a peut-être subi une catastrophe à grande échelle, tel le choc d'une gigantesque météorite (ci-dessous) ? À moins que les dinosaures n'aient tout simplement été les victimes de colossales éruptions volcaniques ou de brusques changements climatiques ? Certains scientifiques soutiennent que les dinosaures n'ont pas réellement disparu de la surface du globe, car leurs descendants, les oiseaux, existent encore à l'heure actuelle.

« *Le tyrannosaure nous impressionne, les plumes de l'archéoptéryx nous émerveillent...* Mais aucun de ces deux animaux ne nous en a appris autant... que cet étrange petit invertébré de 5 cm, qui date du cambrien et que l'on appelle opabinia. »
Steven Jay Gould, en 1990.

La diversité de LA VIE

Les fossiles nous révèlent tout un « cortège de vie » qui remonte jusqu'aux premiers temps de l'histoire de la Terre. De larges périodes de cette histoire ont été dominées par des formes de vie bien spécifiques.

Le mésozoïque, ou secondaire (voir page 114), par exemple, est souvent appelé l'« ère des dinosaures », tandis que le cénozoïque ou tertiaire est connu sous le nom d'« ère des mammifères ». Ces « ères » ne se succédèrent pas en douceur, chacune s'acheva sur une catastrophe mondiale qui décima au passage des groupes entiers d'animaux. À la fin du permien, il y a 250 millions d'années, un événement anéantit 95 % de la vie sur la Terre.

La cause de ces désastres et ce qui s'est réellement passé lorsqu'ils ont eu lieu, voilà deux questions capitales auxquelles la science n'a toujours pas trouvé de réponse. Néanmoins, ces disparitions massives ne furent pas totalement néfastes. Elles ont permis l'apparition de nouvelles formes de vie et la constitution de nouveaux groupes. Sans ces événements, l'« ère des dinosaures » continuerait encore et les êtres humains n'existeraient pas.

Les changements
DU MÉSOZOÏQUE

Les derniers dinosaures partagèrent
la même existence que d'autres animaux
et plantes. Certaines de ces formes
de vie existent encore aujourd'hui,
mais la plupart disparurent en même
temps que les dinosaures.

À l'ère secondaire (mésozoïque),
le climat, bien plus chaud que le nôtre,
pouvait accueillir une multitude d'organismes
vivants. À la place des baleines et des
dauphins, la mer abritait des plésiosaures et
des ichtyosaures, alors que les dinosaures
faisaient la loi à l'intérieur des terres.
Les mammifères se faufilaient entre
leurs pattes gigantesques, tandis
que les petits cousins reptiles des
dinosaures – les tortues, lézards
et crocodiles – vivaient quasiment
de la même façon qu'aujourd'hui.
Le ciel grouillait de ptérosaures et des
premiers oiseaux : de petits dinosaures
à plumes, comme l'*archéoptéryx.*

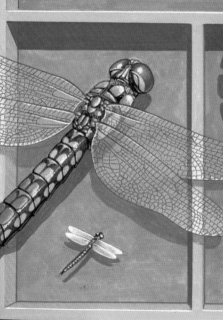

LES PTÉROSAURES
*mangeurs de poissons volèrent long-
temps avant les oiseaux. La plupart
atteignaient la taille des corbeaux,
mais certains devinrent de gigantesques « avions chasseurs »,
avec des ailes d'une
envergure de 12 m !*

Ptérosaure
(reptile ailé)

L'atmosphère était-elle différente au secondaire ?
Certains scientifiques soutiennent qu'au secondaire les gaz se
répartissaient différemment dans l'atmosphère. Comme elle
contenait, selon eux, davantage d'oxygène, les dinosaures
purent atteindre des tailles colossales et les énormes ptérosaures
purent voler dans les airs. Mais les preuves, comme de
minuscules bulles d'air préhistorique comprimées dans des
morceaux d'ambre, sont difficiles à collecter et tout reste à faire
dans ce domaine.

DE PETITES PELUCHES
*Les mammifères
échappaient aux
dinosaures grâce à
leur petite taille et
parce qu'ils ne
sortaient que la nuit de
leur cachette. Tout ce que nous savons
à leur sujet provient de leur dentition,
qui a le mieux survécu à la fossilisation.*

MONSTRES MARINS DU SECONDAIRE

Les plésiosaures étaient les créatures marines les plus féroces. Les spécimens au long cou mangeaient les poissons, tandis que ceux au cou ramassé et aux grosses mâchoires (plus de 2 m de long) se nourrissaient de viande. On pense qu'ils se dévoraient entre eux !

LES CRÉATURES LES PLUS RÉSISTANTES

Les insectes comptèrent parmi les premiers groupes à coloniser les terres. Lorsque le climat s'y prêta, de gigantesques créatures apparurent, telles des libellules d'une envergure pouvant atteindre 1 m ! C'est au Secondaire qu'évoluèrent la plupart des insectes, si bien que les mouches, les moustiques et peut-être même les puces devaient empoisonner la vie des dinosaures !

La Terre à l'époque des dinosaures

Au Secondaire, les calottes polaires n'existaient pas et les continents se situaient différemment. Auparavant, la Terre ne formait qu'un seul continent géant, appelé la Pangée. Celui-ci se sépara en deux plaques : la Laurasia au nord et le Gondwana au sud. Le climat du globe était très doux et la chaleur se répandait pratiquement jusqu'en Arctique.

Laurasia

Gondwana

Fossiles de plantes et d'insectes du Mésozoïque

FOURRAGE POUR DINOSAURES

La première végétation du Mésozoïque, qui constituait l'alimentation des dinosaures herbivores, se composait surtout de fougères, de conifères, de cycas, de ginkgos (ci-contre) et de prêles des champs. Les plantes à floraison apparurent il y a plus de 120 millions d'années, offrant ainsi aux derniers dinosaures un nouveau type de nourriture.

133

Les premiers MAMMIFÈRES

À la fin du secondaire, la disparition massive des dinosaures et d'autres créatures va offrir aux mammifères la chance de se développer et de nouvelles espèces vont apparaître. Certains résisteront mieux que d'autres et leurs descendants, baleines, tigres, chauves-souris, hérissons et êtres humains, existent toujours. La plupart des espèces ont disparu à la fin de la dernière ère glaciaire (il y a 11 000 ans), mais la raison de cette extinction demeure assez vague. Est-elle due à des changements climatiques... où aux êtres humains affamés ?

LES PREMIERS éléphants étaient dépourvus de défenses et gros comme des cochons ! Les mammouths, les mastodontes de la préhistoire et les éléphants actuels sont tous leurs descendants.

DES CHEVAUX AFFAMÉS
On a retrouvé en Allemagne des chevaux fossilisés, vieux de 50 millions d'années avec de la peau et des poils, et dont l'estomac contient encore des feuilles !

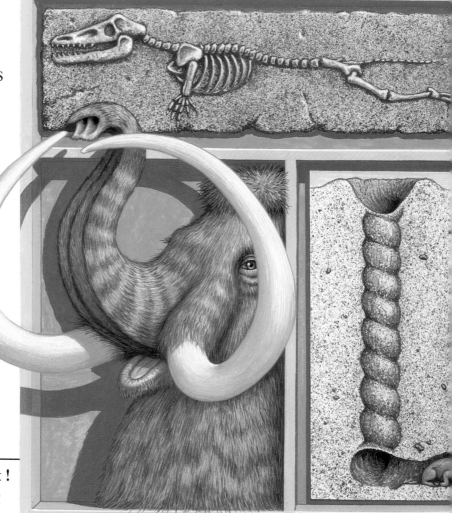

Des oiseaux mangeurs de chevaux !
Les premiers mammifères étaient la proie d'énormes oiseaux coureurs (qui ne volaient pas) : les phororhacidés. Ces terrifiantes créatures atteignaient parfois 3 m de haut ! Grâce à leur bec puissant, elles pouvaient capturer, tuer et déchiqueter des animaux terrestres, comme les premiers chevaux dont la taille avoisinait alors celle de nos moutons actuels.

TERRIERS PRÉHISTORIQUES
En 1976, on a découvert de mystérieux tunnels en tire-bouchon dans des rochers du Nebraska, aux États-Unis (ci-dessus). Les restes fossilisés de blaireaux préhistoriques retrouvés au fond de ces cavités apportèrent la réponse aux scientifiques : il s'agit des tout premiers terriers.

LE « RHINO-GIRAFE »

D'un poids de 15 tonnes et d'une stature dépassant les 5,50 m au garrot (partie saillante d'un quadrupède, au-dessus de l'épaule), l'indricotherium fut le plus gros mammifère terrestre qui ait jamais existé. Il vivait en Asie et se nourrissait probablement du feuillage des petits arbres.

DES TANKS VIVANTS

Les glyptodons *furent sans doute les plus étranges mammifères ayant jamais existé. Les ancêtres des armadillos, ces créatures qui mesuraient jusqu'à 3,50 m de long, possédaient une « armure » osseuse qui leur recouvrait le corps et la queue.

LE PIED MARIN

La découverte récente d'un fossile d'ambulo-

cetus *indique que l'ancêtre de la baleine possédait quatre pattes et vivait dans les terres. L'espèce a regagné la mer il y a un peu plus de 50 millions d'années.

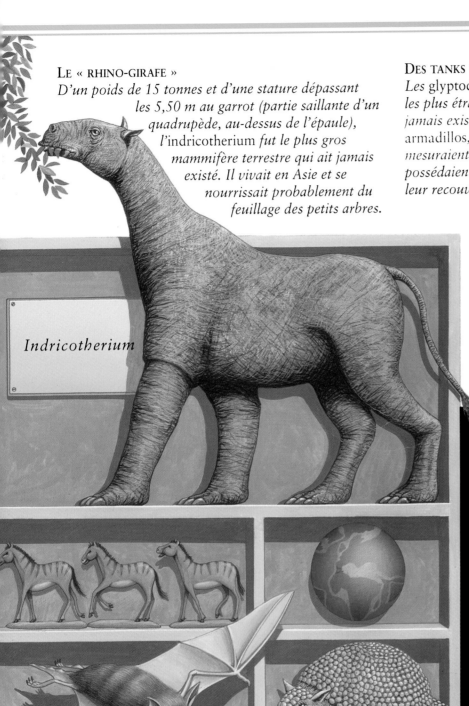

Indricotherium

Qu'est-ce qu'un mammifère ?

Les mammifères vivants se distinguent par leurs poils et leurs glandes mammaires (d'où leur nom), lesquelles se retrouvent rarement dans les fossiles. Les dents des mammifères possèdent une forme caractéristique et ce sont souvent les seules parties du corps conservées par la fossilisation. L'articulation de leurs mâchoires se révèle tout aussi particulière. Grâce aux fossiles, on observe nettement l'évolution de ce trait distinctif à travers le temps.

RADARS PRÉHISTORIQUES

Les chauves-souris apparurent il y a 50 millions d'années. L'icaronycteris est la plus ancienne espèce connue (ci-dessus). Des fossiles un peu plus récents nous apprennent que les chauves-souris primitives pouvaient se diriger grâce aux ultrasons.

LES MARSUPIAUX

(animaux qui portent leurs petits dans une poche) vivent uniquement en Australasie et en Amérique du Sud. Lorsque la Pangée s'est divisée, leurs ancêtres se sont développés sur ces continents (ci-contre).

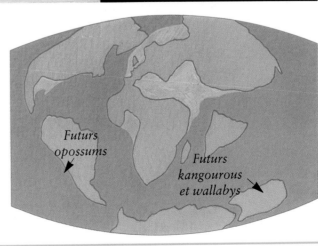

Futurs opossums

Futurs kangourous et wallabys

135

« Bien que l'on sache que l'Homme,
de par sa substance et sa structure,
n'est qu'un animal parmi d'autres,
cela n'entame en rien notre
considération pour la noblesse
du genre humain. »
T.H. Huxley, *La Place de l'homme
dans la nature*, 1863.

L'apparition de L'HOMME

Nous autres êtres humains sommes fascinés par nos ancêtres. Chaque découverte est accueillie comme une nouvelle sensationnelle. Beaucoup de scientifiques, sans ménager leurs efforts, s'affairent à retrouver la trace de nos ancêtres, mais ils doivent faire face à un énorme problème.

Notre famille, les hominidés, a laissé peu de fossiles derrière elle. La plupart des restes se composent de dents disparates, d'os ou de simples fragments. Les crânes sont certes importants, mais ils demeurent assez rares et tous les squelettes déterrés sont incomplets. Avec si peu de preuves, les chercheurs ne peuvent que jouer aux devinettes et les querelles d'experts vont bon train. Heureusement, on continue de faire des découvertes capitales en matière de fossiles. Ainsi, de nouvelles recherches effectuées en Éthiopie ont révélé au grand jour notre plus vieil ancêtre connu. Vieux de plus de quatre millions d'années, les fossiles proviennent d'une petite créature de type anthropoïde (singe se rapprochant le plus de l'homme), vivant sans doute principalement dans les bois. Ses dents ressemblent à celles du chimpanzé et démontrent que la lignée humaine est peut-être encore plus proche des anthropoïdes que des autres singes vivants.

« Chaînons manquants » et PREMIÈRES THÉORIES

Jusqu'au milieu du XIXe siècle, on pensait que les êtres humains avaient été créés par Dieu. Darwin (voir page 121) et ses partisans soutiennent, à l'époque, que notre espèce descend de formes anthropoïdes plus primitives et que nous appartenons donc au règne animal. De telles affirmations vont susciter des réactions de colère et les « darwiniens » seront ridiculisés. Peu à peu, on finira par accepter ces idées et se lancer à la « chasse » aux ancêtres.

Au début, les scientifiques pensent que l'évolution des humains correspond à celle d'une simple lignée qui, à chaque étape, se rapproche progressivement de nous. Mais des recherches actuelles prouvent que notre histoire se révèle complexe et que nous ne sommes pas près d'en éclaircir tous les mystères.

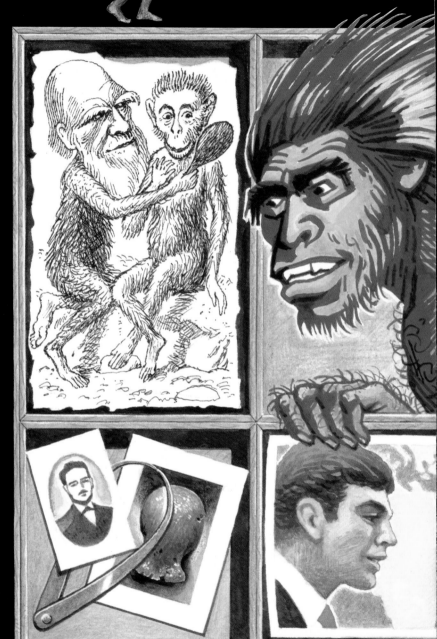

LA QUÊTE DU « CHAÎNON MANQUANT »
*Les chercheurs du XIXe siècle souhaitaient découvrir un seul « chaînon manquant » entre les humains et les singes anthropoïdes. Eugène Dubois crut l'avoir trouvé en découvrant des ossements à Java, en 1891. En fait, il s'agissait du fossile de l'*Homo erectus.

CRITIQUES ET SATIRES
La colère contre Darwin atteignit son apogée en 1871, lorsqu'il publia La Descendance de l'homme. L'ouvrage soutenait la théorie selon laquelle les humains faisaient partie du monde animal et s'apparentaient aux singes anthropoïdes. Des dessins satiriques apparurent, ridiculisant ses idées (ci-contre), et on l'accusa de dénigrer les enseignements chrétiens.

LES GRANDS SINGES ANTHROPOÏDES

On pensait autrefois que nos ancêtres n'étaient autres que des fossiles de singes anthropoïdes, découverts en Asie et datant de deux millions d'années. Certains mesuraient jusqu'à 2,50 m de haut. En fait, il s'agit probablement des restes d'orangs-outans.

L'ENFANT DE TAUNG

En 1925, Raymond Dart annonce la découverte d'un enfant à mi-chemin entre l'humain et l'anthropoïde dans le Transvaal, en Afrique du Sud. La communauté scientifique attaque alors Dart, en soutenant qu'il vient simplement de découvrir la dépouille d'un chimpanzé ou d'un gorille. Toutefois, des découvertes ultérieures lui donneront raison. Dart a fourni la preuve de l'existence de notre ancêtre l'australopithèque (voir page 140), qui vivait sur terre voilà 3 millions d'années.

« Enfant de Taung »
(australopithèque)

Retour d'Afrique

Lorsqu'on découvrit des fossiles humains dans les années 1800, on pensait que ces derniers provenaient d'Asie. Mais au début du siècle on a déterré des fossiles en Afrique. Ce crâne en provenance du Kenya démontre que les origines de l'homme pourraient se situer en Afrique.

Qui était l'« homme de Piltdown » ?

En 1912, on découvre un crâne étrange à Piltdown, en Angleterre. S'agit-il alors du fameux « chaînon manquant » ? En 1952, on démontre qu'il s'agit d'un canular : un crâne humain avec une mâchoire de singe ! L'identité du plaisantin demeure toujours un mystère...

LE GRAND DÉBAT

Un nouveau problème a divisé des chercheurs. Richard Leakey (à l'extrême droite) soutient que la lignée directe de l'être humain est très ancienne, tandis que Don Johanson (ci-contre) affirme que la séparation entre notre espèce et d'autres hominidés est beaucoup plus récente. Il n'existe à l'heure actuelle aucune preuve attestant l'une ou l'autre de ces théories.

Les origines DE L'HOMME

Notre espèce, l'*Homo sapiens* (« humain doté de sagesse »), appartient avec d'autres espèces (disparues) au genre *Homo*. Ce dernier et le genre *australopithèque* forment la famille des *hominidés*. D'autres noms de genres et d'espèces ont été créés, mais de récentes découvertes de fossiles démontrent que, parmi ces appellations, il en existe peu ou même aucune qui correspondent à des créatures ayant réellement existé. Pour mieux comprendre notre passé, il faut nous plonger dans la biologie, les habitudes et l'histoire de nos cousins hominidés disparus.

Des cousins voyageurs

Notre cousin le plus proche, l'*Homo erectus* (« humain se tenant debout »), vivait encore il y a 200 000 ans, à la même période que les premiers membres de notre propre espèce, l'*Homo sapiens*.

L'*Homo erectus* nous ressemblait tout à fait, hormis ses arcades sourcilières plus marquées, sa lourde mâchoire et son menton fuyant. Grand, étroit de bassin et pourvu de longues jambes, l'*Homo erectus* était capable de parcourir de grandes distances. L'espèce s'est répandue d'Afrique en Europe, vers la Sibérie, Java et la Chine, il y a environ 1 million d'années.

SINGERIES EN TOUT GENRE

Les primates (singes et anthropoïdes) se caractérisent par leur cerveau développé, leurs pouces flexibles, leurs ongles qui remplacent des griffes et l'attention qu'ils portent à leurs petits. Il est clair qu'ils sont apparentés aux humains. Nos cousins vivants les plus proches sont les grands singes d'Afrique, tels le chimpanzé et le gorille.

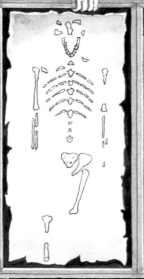

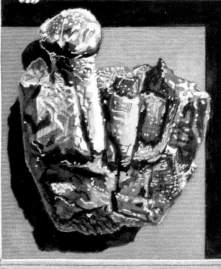

LE « SINGE DU SUD »

Il y a 3 millions d'années, une créature de type anthropoïde, mesurant de 1 m à 1,50 m de haut, traversait les plaines d'Afrique en courant sur ses deux jambes. L'australopithèque, notre ancêtre, était descendu des arbres pour se nourrir. Ses grandes dents épaisses lui permettaient de broyer la nourriture, laquelle se composait surtout de fruits et de feuilles. Mais le danger régnait dans les terres, où hyènes et léopards étaient sans cesse à l'affût.

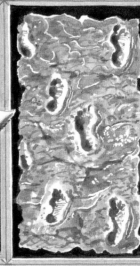

HABILE DE SES MAINS

L'Homo habilis d'Afrique fut le premier à utiliser des outils rudimentaires. On trouve souvent ses fossiles et ses instruments à proximité d'anciens lacs et d'anciennes rivières : d'excellents sites de chasse, où nos ancêtres capturaient les animaux venant s'y abreuver.

NOTRE COUSINE LUCY

En 1975, on assiste à une stupéfiante découverte dans la Rift Valley éthiopienne. Les ossements d'une famille d'au moins treize individus du genre australopithèque sont retrouvés dans des sédiments, non loin d'un lac. Parmi les spécimens, celui d'une jeune femme dont le squelette est le mieux reconstitué sera surnommé « Lucy ». Grâce à elle, on apprend alors que l'australopithèque possédait un crâne primitif et un corps proche du nôtre.

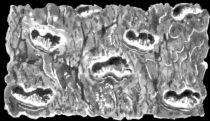

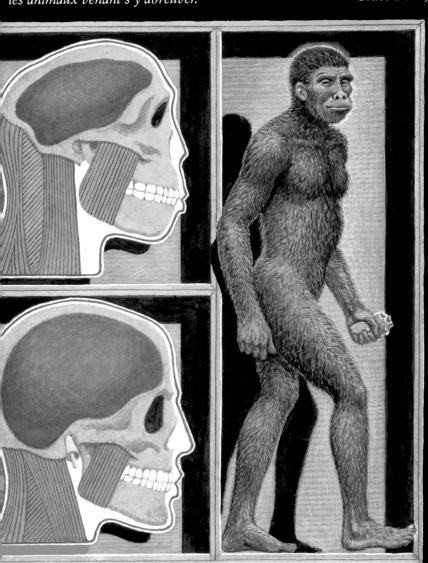

DEBOUT, LES HUMAINS !

Il y a près de 4 millions d'années, deux de nos ancêtres marchaient debout sur les cendres déposées par une récente éruption volcanique, à Laetoli, en Tanzanie. Leurs empreintes furent conservées et l'on peut encore les observer aujourd'hui. Elles prouvent que, même à un stade très primitif de leur évolution, les humains se tenaient debout et marchaient de la même manière que nous, en faisant de grandes enjambées.

Quel âge a notre espèce ? Les tout premiers restes identifiés comme appartenant à un *Homo sapiens* datent d'environ 120 000 ans. Mais, selon certains, le crâne de Petralona, retrouvé en Grèce et vieux de 300 000 à 400 000 ans, appartiendrait à notre espèce. Par ailleurs, des études génétiques laissent supposer que nous foulions déjà le sol terrestre, il y a au moins 200 000 à 300 000 ans.

PAS SI BÊTES

L'Homo sapiens *(ci-dessous, à droite)* possède un cerveau plus volumineux que celui dont était doté l'Homo erectus *(à gauche)*. Le premier de nos ancêtres intelligents était l'Homo habilis. Les outils qu'il a laissés laissent supposer qu'il pouvait être droitier ou gaucher, de sorte que son cerveau devait fonctionner « par inversion », comme le nôtre. Les crânes retrouvés montrent que les zones du langage du cerveau étaient développées, mais nous ne saurons jamais comment il s'exprimait.

« Le chasseur de fossiles ne tue pas, il ressuscite.
Et l'aboutissement de ce sport consiste à accroître... les trésors de la connaissance humaine. »
George Gaylord Simpson,
La Géographie de l'évolution, 1934.

Découvertes et TECHNIQUES

Si l'on compare les formes de vie sur la Terre, les êtres humains actuels constituent l'espèce la plus avancée... mais non pas la dernière ! Nous sommes des nouveaux venus, car nous n'occupons le globe que depuis quelques centaines de milliers d'années.

Vous seriez tentés de croire qu'à cause de notre présence récente il devrait exister une multitude de preuves de notre histoire, mais ce n'est pas le cas. Le langage, le comportement et les habitudes sociales ne se fossilisent pas, et nous ne pouvons que les deviner en examinant des preuves indirectes, comme la structure du squelette ou la forme d'un outil ancien.

Le grand problème reste l'origine de notre propre espèce : l'*Homo sapiens*. Certains scientifiques pensent que nous nous sommes développés séparément en Afrique, il y a 200 000 ans, d'autres prétendent que nous descendons de l'*Homo erectus* (voir page 140.)

De nos jours, l'étude génétique des êtres humains du monde entier fournit encore de nouvelles réponses. L'une de ces recherches laisse entendre que les humains actuels descendraient d'une simple femme ayant vécu en Afrique, entre 150 000 et 300 000 ans. Pouvons-nous croire à cette étonnante affirmation ?

Examinons nos ANCÊTRES

DES TUEURS DE MAMMOUTHS
Les mammouths, et autres gros animaux, ont disparu d'Amérique du Nord il y a environ 12 000 ans. Des groupes d'humains primitifs ont-ils chassé et massacré ces créatures jusqu'à leur extinction ?

Les premiers temps de l'histoire de notre espèce sont marqués par de nombreuses étapes, comme le développement de la parole et du langage, l'évolution de groupes sociaux complexes, le commencement de la pensée et l'apparition de la religion, avec des systèmes de croyances et de cérémonies. De nombreuses innovations technologiques voient le jour, comme la maîtrise du feu, l'invention de nouveaux matériaux et de nouvelles méthodes pour fabriquer des vêtements, des abris et des outils plus efficaces. Nul ne sait comment, quand ou même pourquoi de telles inventions sont apparues, mais il existe des centaines de théories... et des centaines de scientifiques prêts à les examiner.

Le monde à la période glaciaire (il y a entre 2 millions d'années et 11 000 ans)

La période glaciaire

La majeure partie de l'histoire de l'*Homo sapiens* s'est déroulée à la période glaciaire, une époque de brusques changements climatiques. Dans les phases les plus froides, les glaciers s'étendirent et le niveau de la mer baissa, tandis que dans les phases de chaleur les températures étaient plus élevées qu'aujourd'hui. Nul doute que de tels événements ont provoqué des changements dans notre évolution.

UNE RÉPONSE AU PASSÉ

Un tibia et une dent auront suffi à nous renseigner sur l'histoire de l'homme de Boxgrove, qui vécut il y a environ 500 000 ans. Des motifs sur la dent indiquent qu'il mangeait cru aussi bien les légumes que la viande... et que sa dentition lui faisait mal !

Qu'est-il arrivé à l'homme de Neandertal ? Il y a environ 30 000 ans, les Néandertaliens ont soudain disparu. Nul ne sait s'ils se sont éteints naturellement ou s'ils ont été décimés par leurs cousins, les *Homo sapiens*.

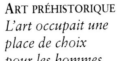

ART PRÉHISTORIQUE

L'art occupait une place de choix pour les hommes de Cro-Magnon, les premiers Homo sapiens. Parmi les œuvres artistiques, citons les peintures rupestres, les sculptures en os, en ivoire ou en argile, les gravures, la fabrication de bijoux et d'instruments de musique dans des os d'animaux.

COUTUMES FUNÉRAIRES

Il semble que les Néandertaliens furent les premiers à enterrer leurs morts, souvent avec des outils, des os, des fleurs et autres offrandes. De nombreuses tombes abritent les cadavres de personnes âgées ou souffrantes, ce qui indique que les hommes de Neandertal devaient en prendre soin.

LES OUTILS

des hommes de Cro-Magnon étaient élaborés : pointes de lances (ci-dessus), aiguilles, lames et même des flûtes. Ils travaillèrent le silex, puis l'os, le bois et d'autres matériaux.

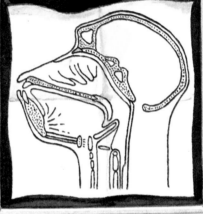

LE SINGE PARLANT

Le siège de la parole dans notre cerveau date de plus de 2 millions d'années. La gorge, capable de prononcer des mots, est apparue 1 million d'années plus tard, pour atteindre sa forme actuelle il y a 300 000 ans.

AU FEU !

Voilà plus de 500 000 ans que les humains utilisent le feu. Grâce à lui, ils ont pu se protéger, se chauffer et se nourrir plus facilement, en cuisant les aliments.

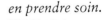

L'HOMME DES GLACES

En 1991, on a découvert dans un glacier autrichien le corps momifié d'un homme vieux de 5 000 ans. Pris dans les glaces avec ses outils et ses vêtements, « Ötzi » a permis d'élucider de nombreux mystères sur la vie à son époque.

Recherches
ACTUELLES

Ces dix dernières années, la technologie moderne a permis aux paléontologues de réaliser d'énormes progrès. De nouvelles techniques de datation, l'informatique, les scanners, les rayons X, les microscopes électroniques à balayage et même les satellites ont tous fourni de nouvelles méthodes de recherche, de collecte et d'analyse des fossiles. Les paléontologues ont également fait appel à d'autres domaines scientifiques, comme la génétique : l'étude des gènes qui contiennent une trace de notre passé.

Comment dater les fossiles ?
Il existe deux manière de dater les fossiles : la désintégration radioactive, basée sur le fait que certains éléments émettent des radiations et changent de nature avec le temps, et les fossiles eux-mêmes, dont chacun correspond à des périodes spécifiques de notre passé.

LE GÉNIE DES GÈNES

Les scientifiques étudient désormais nos gènes (les éléments de nos cellules qui définissent nos propres caractéristiques). La plupart des recherches ont tenté de découvrir quel singe anthropoïde était le plus proche de nous ; toutes semblent indiquer qu'il s'agit du chimpanzé. À de rares occasions, les gènes sont conservés par la fossilisation. Si l'on découvre un jour des gènes primitifs fossilisés, nul doute qu'ils nous réservent des surprises.

UN PARENT EXEMPLAIRE

En 1994, une expédition en Mongolie découvrit un dinosaure, l'Oviraptor, conservé en position assise sur un nid rempli d'œufs (ci-dessus). Des trouvailles précédentes semblaient indiquer que cet animal était un voleur d'œufs (d'où son appellation latine). Nous savons toutefois aujourd'hui que c'était tout simplement un parent exemplaire, qui a couvé sa progéniture jusqu'à la mort.

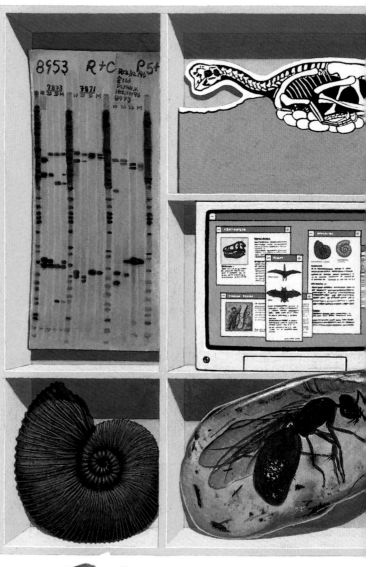

GALERIE D'ART PRÉHISTORIQUE

On a découvert cette dernière décennie de nombreuses peintures rupestres. Celles de la grotte Chauvet, en France, comprennent les seules représentations connues d'un léopard, d'un rhinocéros et d'une panthère. Les derniers visiteurs ont laissé des empreintes de pas vieilles de 30 000 ans.

DES DONNÉES POUR LES DINOS

L'ordinateur, l'outil le plus précieux des paléontologues, analyse les informations et permet d'enregistrer la situation géographique des découvertes pendant les fouilles. On peut également s'en servir pour produire et comparer des images.

LA TOILETTE DES FOSSILES

On utilise souvent de simples instruments, comme des perceuses, des couteaux et des aiguilles, pour la préparation des fossiles. Parmi les autres méthodes, citons les bains à l'acide pour dissoudre la roche autour du fossile et la pulvérisation d'air et de sable sous haute pression, afin d'éliminer la saleté.

RÉALITÉ OU FICTION ?

Les films et les livres traitant de la vie à la préhistoire ont soulevé d'importantes questions scientifiques. Par exemple, pourrait-on reconstituer les gènes d'un dinosaure à partir du sang conservé dans des moustiques fossilisés, comme le suggère le film Jurassic Park ?

Beaucoup de mystères à élucider

La science de la paléontologie est récente : à peine plus de 200 ans. Il reste tant de choses à découvrir et tant d'énigmes à résoudre, qu'il faudra des centaines voire des milliers d'années avant que les scientifiques ne commencent seulement à épuiser toutes les éventualités offertes par leurs recherches. Toutefois, la paléontologie ne nécessite pas toujours un matériel onéreux et une technologie de pointe. Chaque jour, dans le monde entier, des amateurs collectent des fossiles... et certains se révèlent des pièces fondamentales du puzzle qui constitue l'« arbre de vie ». Vous pouvez dès maintenant vous lancer à la chasse aux fossiles et faire une trouvaille tout aussi capitale. Il se pourrait même que vous trouviez la réponse à l'un des grands mystères de la préhistoire !

DES YEUX ÉLECTRONIQUES

Pendant des années, les paléontologues ont utilisé des microscopes ordinaires pour étudier les fossiles. De nos jours, des machines électroniques leur permettent d'examiner les fossiles beaucoup plus en détail. Le microscope électronique permet d'identifier des structures mesurant moins d'un millième de millimètre de large et de les présenter en trois dimensions (ci-dessus).

4,6 MRD A.-570 M.A.
ÈRE PRÉCAMBRIENNE
3,5 MRD A. *Apparition de la*
première forme de vie
640 M.A. *Existence des*
premiers organismes multicellulaires connus

570-250 M.A. ÈRE PALÉOZOÏQUE
570-505 M.A. *Cambrien*
505-438 M.A. *Ordovicien*
438-408 M.A. *Silurien*
408-360 M.A. *Dévonien ;*
apparition des poissons et des amphibiens
360-286 M.A. *Carbonifère ;*
domination des amphibiens
286-250 M.A. *Permien ;*
domination des reptiles

1676 *Robert*
Plot publie
la première
description d'un os
de dinosaure.

Années 1700
On sait désormais que
les fossiles proviennent
d'animaux et de plantes.
Découverte d'outils en
silex dont on pense qu'ils sont l'œuvre de
peuples primitifs.

250-65 M.A. ÈRE MÉSOZOÏQUE
250-208 M.A. *Trias : apparition des dinosaures*
208-144 M.A. *Jurassique : évolution des dinosaures géants*
144-65 M.A. *Crétacé : apparition des fleurs et des insectes*
65 M.A. *Disparition des dinosaures pour une raison inconnue*

65 MA-PÉRIODE ACTUELLE ÈRE CÉNOZOÏQUE
50 M.A. *Singes*
30 M.A.
Anthropoïdes
(grands singes)
3,5-2 M.A.
Australopithèques
2-1,5 M.A.
Homo habilis
1,5 M.A. -200 000 *ans*
Homo erectus
200 000-35 000 *ans*
Homme de
Neandertal
200 000 *ans-*
aujourd'hui
Homo sapiens

1824 *Le mégalosaure*
est le premier dinosaure
à être désigné par un nom
scientifique
1825 *Gideon Mantell*
dessine l'iguanodon
1841 *Richard Owen*
invente la terminologie
des dinosaures
1853 *Premières statues de*
dinosaures au Crystal
Palace de Londres

1856 Découverte du fossile de Neandertal, en Allemagne

1858 Premier squelette de dinosaure, l'hadrosaure, découvert en Amérique du Nord

1861 Découverte d'un archéoptéryx *(le plus vieil oiseau du monde)*

1865 Première découverte d'objets de l'âge de pierre, en France

1868 Découverte des restes d'hommes de Cro-Magnon, en France

1909-1911 Découverte d'un brachiosaure *en Afrique orientale*

1912 Découverte de l'« homme de Piltdown » *(c'est un canular !)*

1923 Découverte de dinosaures en Mongolie, parmi lesquels des œufs et un protocératops *fossilisés*

1925 Découverte d'un australopithèque en Afrique du Sud

1959 Découverte d'un Homo habilis en Tanzanie

1871 Darwin publie La Descendance de l'homme

1878 Découverte d'un troupeau d'iguanodons en Belgique

1879 Découverte de peintures rupestres de l'âge de pierre en Espagne

1887 Othniel C. Marsh découvre un tricératops

1891 Eugène Dubois découvre l'« homme de Java » (Homo erectus)

1902 Découverte d'un tyrannosaure aux États-Unis

1906 Reconstitution erronée d'un squelette de Neandertalien, créant de fausses idées sur les premiers êtres humains

1963 Des études démontrent que les humains et les singes ont le même ancêtre, qui vivait voilà seulement 5 millions d'années

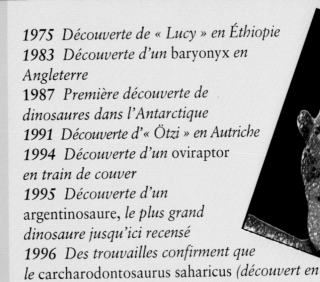

1975 Découverte de « Lucy » en Éthiopie

1983 Découverte d'un baryonyx en Angleterre

1987 Première découverte de dinosaures dans l'Antarctique

1991 Découverte d'« Ötzi » en Autriche

1994 Découverte d'un oviraptor en train de couver

1995 Découverte d'un argentinosaure, le plus grand dinosaure jusqu'ici recensé

1996 Des trouvailles confirment que le carcharodontosaurus saharicus *(découvert en 1927)* est semblable à un tyrannosaure

7. Stonehenge
8. Corse
9. Carthage
10. Alexandrie
11. Amarna
12. Abou-Simbel
13. Méroé
14. Nubie
15. Grand Zimbabwe
16. Crète
17. Théra
18. Olympie
19. Mycènes
20. Anatolie
21. Troie
22. Palmyre
23. Qumrân
24. Babylone

1. Rock Eagle Mound
2. Tenochtitlán
3. Lac Guatavita
4. Dessins nazcas
5. Machu Picchu
6. Cadbury Fort

25. Idumée (pays d'Édom)
26. Dilmun
27. Bactriane
28. Vallée de l'Indus
29. Tombeaux de l'Altaï
30. Sépultures amazoniennes
31. Mont Li
32. Angkor
33. Île de Pâques

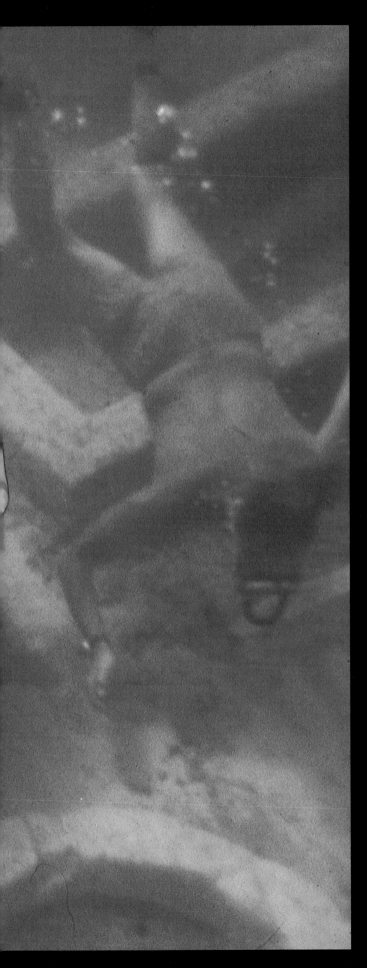

LES CIVILISATIONS PERDUES

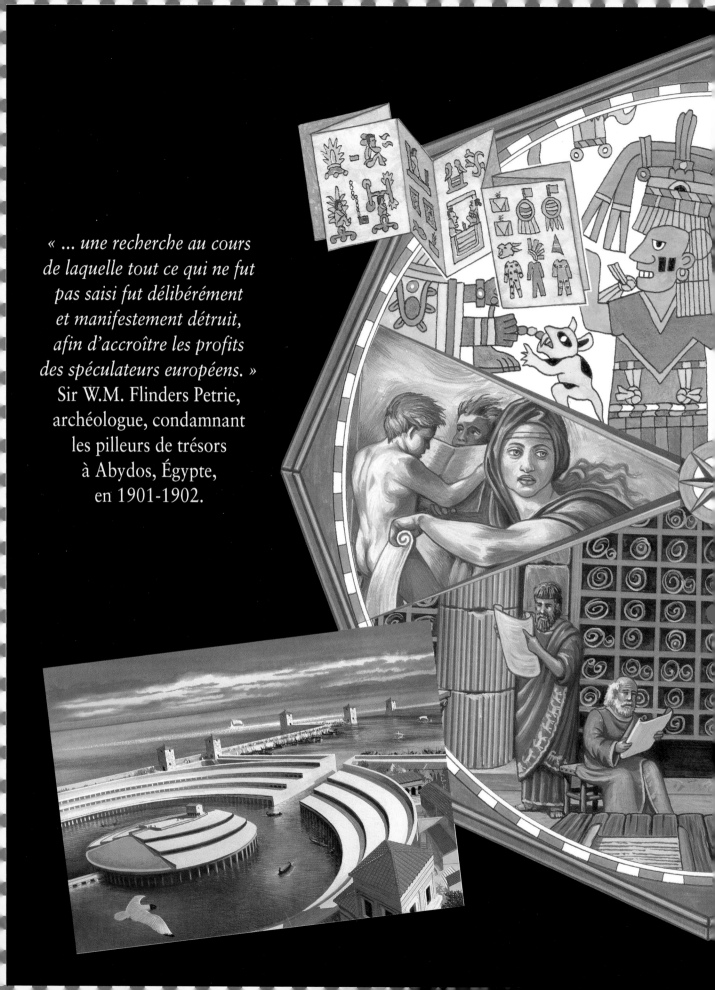

« ... une recherche au cours de laquelle tout ce qui ne fut pas saisi fut délibérément et manifestement détruit, afin d'accroître les profits des spéculateurs européens. »
Sir W.M. Flinders Petrie, archéologue, condamnant les pilleurs de trésors à Abydos, Égypte, en 1901-1902.

INTRODUCTION

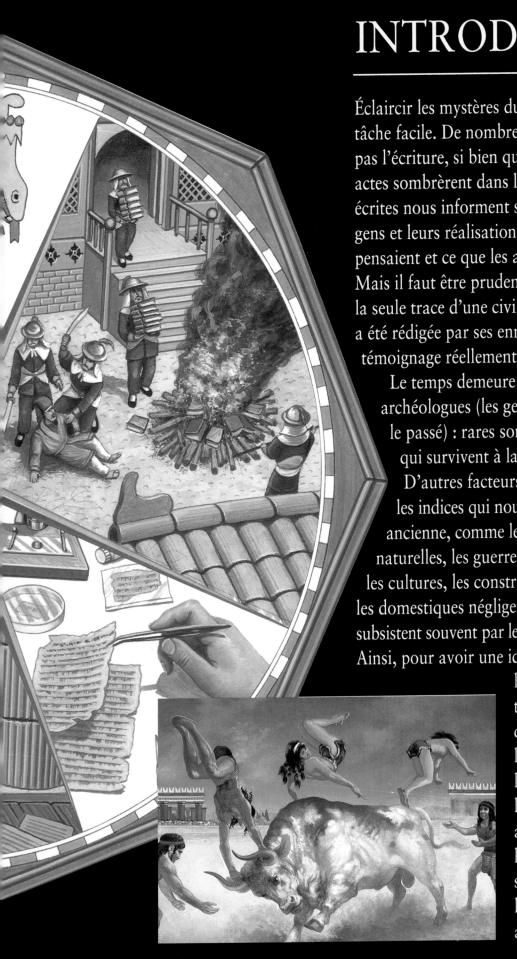

Éclaircir les mystères du passé n'est pas une tâche facile. De nombreux peuples n'utilisaient pas l'écriture, si bien que leurs idées et leurs actes sombrèrent dans l'oubli. Les preuves écrites nous informent sur les croyances des gens et leurs réalisations, sur ce qu'ils pensaient et ce que les autres pensaient d'eux. Mais il faut être prudent en lisant ces textes. Si la seule trace d'une civilisation a été rédigée par ses ennemis, s'agit-il d'un témoignage réellement objectif ?

Le temps demeure l'éternel ennemi des archéologues (les gens qui étudient le passé) : rares sont les corps et les objets qui survivent à la dégradation. D'autres facteurs peuvent détruire les indices qui nous éclairent sur l'Histoire ancienne, comme les catastrophes naturelles, les guerres, les conflits religieux, les cultures, les constructions... et même les domestiques négligents ! Ces preuves subsistent souvent par le plus grand des hasards. Ainsi, pour avoir une idée précise du passé, les archéologues se transforment parfois en détectives, ils examinent les constructions et les objets, étudient les textes et écoutent avec attention toutes les légendes. Les techniques scientifiques modernes leur sont aussi d'une aide précieuse.

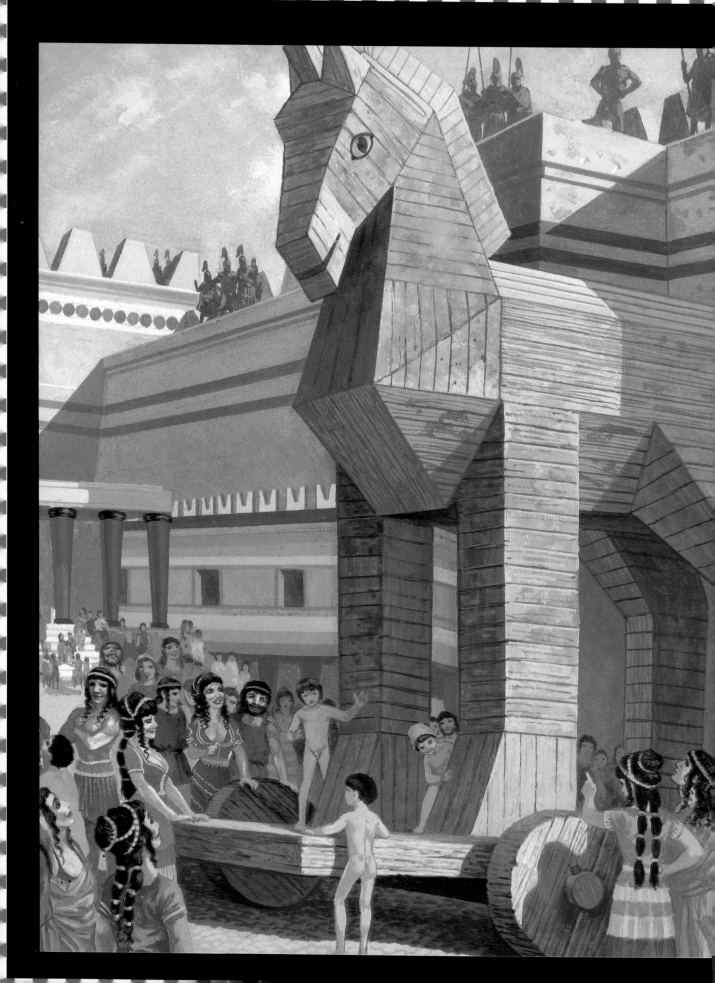

Des lieux SECRETS

Certains lieux sont détruits et disparaissent sans laisser de trace, jusqu'à ce que des archéologues retrouvent leurs vestiges. Lorsqu'un endroit mentionné dans un texte ancien est découvert, il ne fait plus partie de la légende, mais devient réalité.

Le siège de Troie (située sur le territoire de l'actuelle Turquie) par les Grecs en est le parfait exemple. Pendant des siècles, *L'Iliade* (700 av. J.-C.), le long poème d'Homère sur la guerre de Troie, fut considéré comme une fantaisie. Mais un archéologue amateur dénommé Heinrich Schliemann croyait avec passion que cette histoire était véridique. En 1870, il découvrit Troie, dans la région où Homère l'avait située ! Les fouilles prouvèrent qu'Homère possédait une connaissance très détaillée de cette civilisation qui avait disparu des siècles avant qu'il ne vienne au monde. Récits et chansons avaient permis de conserver le souvenir de détails aussi précis que les défenses de la ville et les armures des soldats. Nous ne pouvons pas encore prouver l'existence de la belle Hélène de Troie, ni celle du célèbre cheval en bois (ci-contre), mais nous savons désormais qu'il faut tenir compte des légendes du passé.

« Était-ce le visage qui lança un millier de bateaux Et brûla les remparts d'Ilium ? »
Description d'Hélène de Troie dans la pièce de Christophe Marlowe, *La Tragique Histoire du docteur Faust,* vers 1588.

Disparus... puis RETROUVÉS

Nombre de constructions mentionnées dans les textes anciens sont à présent totalement détruites, telles que la fabuleuse Maison dorée de l'empereur romain Néron. Nous découvrons parfois des ruines que nous pouvons identifier sans le moindre doute, comme Pompéi en Italie. Mais si les archéologues parviennent à reconnaître un site et se réfèrent à des textes qui le décrivent, ils éprouvent toutefois des difficultés à l'imaginer au temps de son apogée. Les écrivains grecs de l'Antiquité prétendaient que le complexe funéraire du roi Amménémès III d'Égypte constituait l'un des bâtiments les plus grandioses qu'ils aient jamais vus ; il n'en reste aujourd'hui qu'un lugubre tas de briques en terre ! En possédant ne serait-ce qu'une gravure d'un tel lieu, nous pourrions l'imaginer dans toute sa splendeur.

La destruction présente-t-elle certains avantages ? Elle peut parfois révéler d'autres trésors. Au cours de la Seconde Guerre mondiale, une bombe détruisit l'ancienne église de St. Bribe, à Londres. Cette tragédie offrit aux archéologues la possibilité de creuser le site. Ils y découvrirent des églises primitives, dont l'existence remontait à environ 1 400 ans, ainsi qu'une voie romaine du IIe siècle de notre ère. Au terme des fouilles, St. Bribe fut reconstruite.

LES ÉNIGMES DE LA TABLE RONDE
Selon la légende médiévale, Camelot constituait le lieu de résidence du roi Arthur. Si celui-ci a existé, il n'a rien à voir avec les châteaux de contes de fées, tels qu'ils apparaissent dans les films de Hollywood ! Il ressemblerait plutôt à une ancienne forteresse celtique, formée de remparts de terre et de créneaux en bois. Les archéologues ont découvert un endroit de ce type à Cadbury Fort, en Angleterre, dont certains pensent qu'il pourrait s'agir de Camelot.

DES JARDINS DE LÉGENDE
Les jardins suspendus de Babylone furent construits par le roi Nabuchodonosor II (605-562 av. J.-C.) pour son épouse qui avait la nostalgie de sa Perse natale.

Leur destruction est telle qu'il nous est impossible d'identifier jusqu'à leurs fondations. Ce qui donne libre cours aux imaginations les plus fertiles quant à leur aspect d'origine (voir page 37)!

Sur la piste du roi Minos

En 1893, on présenta à l'archéologue Arthur Evans des pierres aux sceaux étranges, qui l'entraînèrent jusqu'en Crète, lieu légendaire où vécut le roi Minos. Evans commença à creuser et mit au jour la gigantesque civilisation minoenne, qui, depuis longtemps, avait sombré dans l'oubli... Mais la légende en conservait la trace.

La lumière de la Méditerranée

Construit vers 280 av. J.-C., le phare d'Alexandrie, en Égypte, atteignait 117 m de hauteur. On apercevait son rayon de lumière à 50 km à la ronde. Dans les années 1300, un tremblement de terre provoqua son effondrement, mais nous en conservons la trace dans des récits et des gravures. Par ailleurs, on en découvrit des vestiges dans les eaux du port.

Un mystère hindou

Les fouilles archéologiques de sir Mortimer Wheeler (1890-1976) permirent de découvrir des objets fabriqués (ci-dessous), des pierres portant des sceaux (ci-contre) et des constructions de l'ancienne civilisation de la vallée de l'Indus, en Inde.

Ce peuple avait inventé son propre système d'écriture, mais personne n'est encore parvenu à le déchiffrer. Connaîtrons-nous un jour le nom de leurs souverains, ou même l'identité de leur dieu, le Seigneur des animaux ?

Un hommage grandiose

Au Ve siècle av. J.-C., le sculpteur grec Phidias réalisa une grande statue du dieu Zeus, destinée au temple d'Olympie. Construite en or et en ivoire, elle mesurait 13 m de haut. En l'an 393 de notre ère, un empereur romain l'emporta à Constantinople. En 462, un incendie ravagea l'endroit où la statue était conservée et celle-ci fut entièrement détruite.

Les conséquences de la guerre

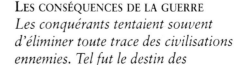

Les conquérants tentaient souvent d'éliminer toute trace des civilisations ennemies. Tel fut le destin des peuples inca et aztèque, livrés au bon vouloir des explorateurs espagnols du XVIe siècle. Tenochtitlán, la capitale aztèque, fut détruite, mais ses vestiges demeurent encore sous la cité moderne de Mexico.

Le méli-mélo des LÉGENDES

CONQUISTADORES !
Les premiers conquérants espagnols de l'Amérique étaient guidés par le désir de servir Dieu (en convertissant les gens qu'ils colonisaient au christianisme) et leur roi (en le plaçant à la tête d'un nouvel empire). Ils n'en demeuraient pas moins impitoyables et avides de faire fortune avec l'or et l'argent du Nouveau Monde. En Colombie, on leur raconta l'histoire fabuleuse mais véridique d'El Dorado, l'« Homme doré » (voir page 159).

Lorsqu'un événement extraordinaire se produit, des récits naissent, qui évolueront avec le temps. On oublie certains détails, on en ajoute d'autres et les exploits de tel ou tel personnage seront attribués à un seul « superhéros ». Les faits sont déformés, voire inventés ! Il se peut même que l'on attribue à un récit une nouvelle signification, afin de l'adapter à la politique ou à la religion du moment. Mais quelque part, au cœur de chaque histoire, se trouve la vérité...

Lac Guatavita (Colombie)

AMÉRIQUE DU SUD

L'ULTIME QUÊTE
On a cherché l'Atlantide dans le monde entier et nombreux sont ceux qui pensent que l'histoire s'inspira de la Crète minoenne. Les gens auraient fini par mêler aux mythes et aux catastrophes naturelles le souvenir et le déclin de cette grande île, dotée d'une puissante flotte et d'une religion où le taureau occupait une place capitale. Au fil du temps, on a embrouillé et interprété de façon erronée les faits, mais des récits semblent néanmoins décrire précisément certains aspects de la grandiose civilisation minoenne.

LE SOUVERAIN EN OR

En montant sur le trône dans la région du lac Guatavita, en Colombie, un roi apparut recouvert de poussière d'or. Il naviga jusqu'au milieu du lac, où il dispersa des offrandes en or pour les dieux. L'imagination et la soif de richesses se chargèrent de broder autour de l'histoire... et la légende se répandit sur l'existence d'une cité et d'une contrée où le précieux métal abondait. Pendant deux siècles, des hommes partirent en quête de l'« El Dorado » et bon nombre d'entre eux y laissèrent la vie. D'autres tentèrent, en vain, d'assécher le lac.

ÉRUPTION ET ANÉANTISSEMENT

Située à 120 km de la Crète, l'île de Théra (de nos jours Santorin) constituait un avant-poste de la civilisation minoenne. Vers 1450 av. J.-C., il se produisit une gigantesque éruption volcanique qui détruisit la majeure partie de l'île. Elle entraîna aussi un raz-de-marée qui anéantit les colonies minoennes du nord de la Crète.

Théra
(Santorin)

LE CASSE-TÊTE DES LÉGENDES

L'auteur grec Platon (ci-dessus) écrivit l'histoire de l'Atlantide, un royaume insulaire qui fut englouti par les eaux, au cours d'un terrible désastre. Platon aurait-il inventé l'existence de ce pays ? Était-il situé sur Théra ou en Crète ? Ou bien s'agit-il d'un autre lieu disparu ? L'histoire s'est transmise de bouche à oreille pendant près de 200 ans, avant même que Platon ne l'entende... des erreurs ont donc eu largement le temps de s'y glisser !

Les mines du roi Salomon

Certains se sont lancés à la recherche d'objets cités dans la Bible, parmi lesquels l'arche d'alliance, les trésors du temple de Jérusalem ou l'arche de Noé. D'autres se sont mis à rechercher des lieux ; les fabuleuses mines du roi Salomon ont captivé l'imagination et ont inspiré films et romans. Lorsqu'on découvrit en Afrique les ruines du Grand Zimbabwe (ci-dessous), certains suggérèrent qu'il s'agissait des célèbres mines. Mais le Zimbabwe appartient à un empire africain bien plus récent... et nous ne sommes toujours pas près de mettre la main sur les mines de Salomon.

Les textes nous conduiraient-ils à des lieux disparus ? Les textes sur l'ancienne Mésopotamie font référence à un endroit appelé Dilmun, et sa description en est si merveilleuse que les érudits l'avaient écartée comme étant pure fantaisie. L'étude de textes et de ruines antérieurs a montré que le lieu en question servait de relais sur la route commerciale entre Sumer et la vallée de l'Indus. Lorsque cessa le commerce, Dilmun sombra dans l'oubli... il s'agissait en fait de l'île actuelle de Bahreïn !

Les cultures
DISPARUES

Avec le temps, toutes les cultures évoluent et les traces laissées par d'anciennes civilisations, comme celles de l'Égypte et de la Chine, nous permettent de remonter le temps. Nous pouvons également observer l'évolution des modes de vie en Europe depuis la chute de l'Empire romain en 476.

Même si une culture semble avoir été éliminée, certains principes demeurent et sont absorbés par une nouvelle civilisation. Le souvenir de peuples disparus peut très bien survivre à travers les textes et les légendes... jusqu'au jour où les archéologues finissent par découvrir des vestiges qui attestent de leur existence.

Les découvertes de civilisations oubliées de tous nous permettent de mieux comprendre les us et coutumes des peuples anciens. Ainsi, des chercheurs ont révélé que les jeunes Minoens (ci-contre) affectionnaient les jeux taurins et pouvaient bondir entre les cornes d'un taureau en train de charger... gravures et statues en apportent la preuve. Risquaient-ils leur vie en voulant satisfaire un dieu quelconque ? Croyaient-ils que cette divinité faisait trembler la terre, tandis que le taureau projetait les athlètes en l'air avec ses cornes ?

« ... [les archéologues] mettent au jour une masse d'objets qui attestent de l'art et de l'artisanat du passé, les temples où les hommes ont célébré leurs cultes, les habitations où ils ont vécu, le cadre où ils ont passé leur existence. »
Sir Leonard Woolley,
Digging up the Past, 1930.

Déclin, destruction
ET OUBLI

SINISTRE PRÉSAGE
Au début des années 1500, une fulgurante comète terrifia les Aztèques de l'Amérique centrale. Était-ce un signe de la colère des dieux ? Pendant dix ans, des événements étranges se produisirent. Les Aztèques pensèrent qu'ils étaient maudits... et ce fut le cas... les Espagnols débarquèrent pour les envahir (voir page 158).

LA DERNIÈRE FORTERESSE INCA
En 1911, l'explorateur et architecte américain Hiram Bingham se lance à la conquête des Andes, armé de textes décrivant les cités où les derniers Incas avaient repoussé les Espagnols. Au Pérou, il découvre Machu Picchu, une cité inca dissimulée par la jungle pendant 300 ans !

Si certaines cultures florissantes furent anéanties en un clin d'œil, en général, un lent et long déclin précédait leur disparition totale. Des années de mauvais temps pouvaient provoquer une famine, une surexploitation entraînait la stérilité des terres et le déboisement à grande échelle épuisait rapidement les réserves de bois. Un fleuve vital pouvait être détourné de son cours ou un port s'ensabler. Tremblements de terre, inondations et autres catastrophes naturelles contribuaient également au déclin. De même que le commerce pouvait s'interrompre ou encore la guerre et les invasions survenir. Les hommes avaient alors deux solutions : émigrer ou adopter le mode de vie de leurs voisins plus prospères.

Comment les civilisations deviennent-elles des légendes ?
À force de dénaturer les faits au fil de l'Histoire. Par exemple, il existe un groupe des peuples de la Mer (voir page 163) qui s'appelait les Peleset. Après leur défaite en Égypte, ils battirent en retraite et s'installèrent en terre de Canaan qu'ils nommèrent la Palestine. Ils apparaissent dans la Bible sous l'appellation « Philistins », les ennemis jurés des Hébreux.

LES MYSTÉRIEUX MYCÉNIENS
Après le déclin des Minoens, les Mycéniens régnèrent sur le commerce en mer Méditerranée. Riches et prospères, ils connurent aussi à leur tour le déclin. Vers l'an 1000 av. J.-C., leur civilisation, leurs objets fabriqués (ci-dessus) et leur système d'écriture avaient disparu. Comme le roi Agamemnon, les Mycéniens ne survécurent qu'à travers la légende.

LES MYTHES MAYAS

Les Mayas étaient jadis considérés comme un peuple pacifique. Il paraît clair aux archéologues, qui ont commencé à décoder leur écriture, que des cités rivales luttaient constamment pour le pouvoir. La surexploitation des terres contribua autant à leur déclin que les incessantes guerres.

Une culture de progrès

Le royaume de Méroé connut un essor florissant d'environ 550 à 350 av. J.-C. et commerça avec l'Égypte, l'Afrique, la Grèce, Rome et l'Inde. Sa culture associait plusieurs modes de vie locaux, et intégra ceux de l'Égypte et d'autres pays (les sépultures pyramidales de ses rois, ci-dessous, en témoignent). Ses agriculteurs cultivaient le coton importé de l'Inde. Ce peuple travaillait le fer et ses méthodes se répandirent à travers l'Afrique. Un texte ancien prétend que Méroé connaissait une telle prospérité que ses prisonniers étaient attachés par des chaînes en or ! Les assauts ennemis entraînèrent son déclin, mais l'État s'effondra totalement au terme de l'invasion du roi Aksoum d'Afrique orientale.

LA CITÉ D'ATON

Le pharaon égyptien Akhenaton croyait qu'Aton était l'unique dieu. Il fit construire une nouvelle capitale à Tell el-Amarna et interdit qu'on vénère d'autres divinités. Mais après sa mort, Amarna se retrouva à la merci des sables du désert.

LES ENVAHISSEURS VENUS DE LA MER

Les anciens textes égyptiens décrivent les invasions de mystérieux peuples de la Mer. Ils provenaient de l'Empire mycénien sur le déclin, en quête d'une nouvelle contrée. Vers l'an 1190 av. J.-C., ils envahirent ce qui est aujourd'hui la Turquie, en anéantissant les Hittites (voir page 164). Le pharaon Ramsès III d'Égypte finit par en venir à bout et les Mycéniens s'éparpillèrent à travers tout le Bassin méditerranéen.

Qui étaient CES PEUPLES ?

Outre les constructions et les objets fabriqués, la langue nous renseigne aussi sur l'identité d'un peuple. Parmi les plus anciennes, le proto-indo-européen fut parlé par des groupes d'individus qui se séparèrent au fil des siècles. Ils traversèrent l'Europe et le Moyen-Orient, puis l'Inde et le Turkestan. Le langage de chaque groupe évolua tellement qu'ils n'auraient pu communiquer entre eux s'ils s'étaient rencontrés. Cette famille de langues, qu'on appelle aujourd'hui l'indo-européen, regroupe la plupart de celles d'Europe, le russe, l'ukrainien, l'arménien, l'iranien, la majeure partie de celles parlées en Inde et au Pakistan, et beaucoup de langues anciennes.

DÉCOUVERTE D'UN NOUVEAU PEUPLE
Dans les années 1970, d'étranges objets (ci-contre) apparaissent sur le marché des antiquités. Des érudits mènent l'enquête et découvrent une civilisation jusque-là inconnue, qui aurait prospéré en Bactriane entre 2500 et 1500 av. J.-C. Ses habitants étaient de riches négociants qui contrôlaient la route commerciale entre la vallée de l'Indus et la Mésopotamie.

LES CONQUÊTES HITTITES
Vers l'an 2000 av. J.-C., les Hittites débarquèrent en Anatolie, en provenance du nord de la mer Noire. Ils bâtirent peu à peu un empire et inventèrent un système d'écriture (ci-dessous). Ennemis des Égyptiens, ils conclurent cependant un traité, mais furent plus tard décimés par les peuples de la Mer (voir page 163).

Envahisseurs barbares... ou paisibles colons ?
Comme leurs ennemis et victimes se chargeaient de consigner leurs actes par écrit, les Vikings ont été considérés comme des pirates pendant des siècles. Si certains l'étaient, la majeure partie d'entre eux se composaient de fermiers, d'habiles artisans et d'audacieux négociants n'hésitant pas à voyager jusqu'au Moyen-Orient. Ces intrépides explorateurs fondèrent également des colonies en Russie, en Islande, au Groenland et en Amérique du Nord.

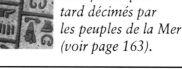

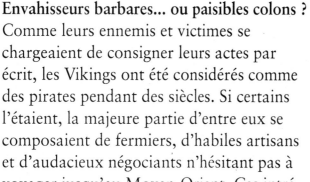

LES PREMIERS MINOENS

Vers l'an 6000 av. J.-C.,
les ancêtres des Minoens
débarquèrent sur l'île de
Crète, en venant sans
doute d'Anatolie.
Les archéologues ont pu
étudier leur expansion, depuis l'époque où ils
étaient de simples agriculteurs jusqu'à ce qu'ils
deviennent une grande nation commerciale. Ils
créèrent leur propre système d'écriture, que
nous appelons « linéaire A », mais nul ne sait
encore le déchiffrer. L'écriture
« linéaire B », propre aux Mycéniens
apparus plus tard (voir page 162), est
lisible, car il s'agit d'une forme primitive du
grec, qui est une langue indo-européenne.

LA CITÉ ROSE

Au IVe siècle av. J.-C.,
une tribu arabe,
les Nabatéens, fondèrent
un royaume dans ce qui
avait été Idumée (le pays
d'Édom). Contrôlant
les routes commerciales
depuis l'Arabie et la mer
Rouge jusqu'à la Méditerranée,
ils devinrent riches et puissants.
Pétra, leur grande capitale, fut bâtie
dans une pierre rose. On y accédait par
une faille étroite, tandis que temples et
sépultures étaient creusés à
même la roche. Tombé sous
la domination romaine en l'an
106 de notre ère, le royaume
déclina peu à peu.

LES MERVEILLES DISPARUES D'ANGKOR

En 800 apr. J.-C., les Khmers du Cambodge étendent leur
empire et construisent un gigantesque temple à Angkor Vat et
une capitale à Angkor Thom. Ils
seront vaincus par les Thaïs au
début des années 1400, et leurs
constructions disparaîtront dans la
jungle. Henri Mouhot les découvrira
par hasard en 1860.

Quel est le plus ancien alphabet ?
Vers l'an 1300 av. J.-C., les Phéniciens inventent
un système simple d'écriture. C'est le premier
alphabet. Trois cents ans après la disparition
de l'écriture « linéaire B » des Mycéniens,
ce système sera adapté par les Grecs de
l'Antiquité pour la création de leur propre
alphabet. Le seul caractère qu'ils ne
modifieront pas sera le « O », le signe écrit
le plus ancien du monde.

165

« En outre, ce fut une femme qui causa toute cette perte aux Romains et ce fait même provoqua chez eux la plus grande honte. »
Dion Cassius de Rome, dressant le bilan de la révolte de Boadicée, cent ans après l'événement.

Les déchus de L'HISTOIRE

Toutes les sociétés ont, à leur façon, rendu compte des hauts faits de leurs hommes et de leurs femmes, mais lorsque les textes se perdent ou sont détruits par le temps, nos connaissances sur le sujet sont amoindries. Cependant, nous conservons toujours l'espoir que des fouilles archéologiques nous permettront de faire d'étonnantes découvertes !

Si les rares comptes rendus d'un événement sont uniquement rédigés par un seul camp, ils risquent fort de manquer d'objectivité. La révolte britannique de 60-61, menée par la reine Boadicée et la tribu des Icènes, en est un parfait exemple. Des milliers de colons et de soldats romains périrent durant le conflit, et Rome faillit perdre sa nouvelle colonie. Mais les Romains finirent par triompher et décrivirent les faits comme un combat de la loi, de l'ordre public et de la civilisation contre la sauvagerie et l'ignorance. Boadicée et les Bretons y apparurent comme de féroces barbares. Si les Icènes avaient conservé une trace des événements, ils auraient sans doute fait le récit d'une lutte héroïque contre des envahisseurs qui ne méritaient ni les honneurs ni l'indulgence, à cause de leur cupidité, de leur cruauté et du traitement brutal qu'ils infligèrent à la reine Boadicée.

Les femmes
OUBLIÉES

Notre connaissance des femmes dans l'Histoire s'avère très limitée. C'est en partie dû à la destruction des écrits et au fait que certaines sociétés dirigées par des hommes considéraient leurs compagnes comme inférieures et leur refusaient tout droit, en dehors du foyer. Ainsi, les textes qui se rapportent à ces cultures nous renseignent peu sur la gent féminine. Si une civilisation dominée par l'homme se voyait menacée par une femme, les historiens faisaient de leur mieux pour ne pas citer son nom. Grâce aux textes anciens et aux fouilles archéologiques, nous découvrons de nombreuses femmes « oubliées », mais prenons garde aux écrits de l'époque parfois trompeurs !

Comment la reine Boadicée a-t-elle péri ?
Après sa défaite, en 62, Boadicée préféra se suicider plutôt que d'être prisonnière des Romains. Les textes de l'époque assurent que les Icènes lui offrirent de coûteuses funérailles, mais le lieu précis de sa sépulture reste assez vague. Plusieurs endroits de Grande-Bretagne se flattent d'abriter la dernière demeure de la reine. On raconte même qu'elle serait enterrée sous le quai n° 8 de la gare de King's Cross, à Londres ! Parviendra-t-on un jour à élucider ce mystère ?

UN ROI PAS COMME LES AUTRES
Si l'Égypte ancienne honorait les femmes, seul un homme pouvait accéder au trône. Rares furent celles qui contournèrent la règle. La reine Hatchepsout prétendit que le roi Amon l'avait choisie comme souveraine et prit ainsi le pouvoir en qualité de « roi ». Après sa mort, son neveu Thoutmôsis III détruisit ses monuments pour effacer toute trace de sa présence. Autant d'efforts mis en échec par les archéologues qui rassemblent les morceaux !

LE PRIX
À PAYER
Zénobie, reine de Palmyre, en Syrie, bâtit son propre empire en conquérant les provinces orientales de Rome. Lorsqu'elle fut finalement vaincue, les Romains tentèrent de l'humilier en la forçant à défiler dans la parade victorieuse de l'empereur Aurélien... mais elle eut le dernier mot. Elle épousa un sénateur romain et résida dans un domaine offert par l'empereur !

LA REINE MYSTÉRIEUSE

Néfertiti fut l'épouse d'Akhenaton (voir page 163). À leur mort, leurs ennemis tentèrent de détruire toute trace de révolution religieuse. Néfertiti a-t-elle soutenu la fidélité de son époux au culte d'Aton ? Est-elle devenue « roi » pendant un certain temps ? Quand et comment a-t-elle disparu ?

LA PLUS CÉLÈBRE REINE DE L'HISTOIRE

Ce sont surtout les textes romains qui nous ont renseignés sur la reine Cléopâtre VII. Elle effraya les Romains en épousant leur politicien Marc Antoine et en l'aidant dans sa lutte contre Octave (plus tard l'empereur Auguste). Les historiens romains la décrivirent bonne souveraine mais dépourvue du moindre mérite.

LA LÉGENDE DE SABA

La Bible relate comment la reine de Saba eut connaissance de la sagesse du roi Salomon et lui rendit visite. En vérité, le royaume de Saba devait toute sa richesse au commerce. La reine et le roi Salomon étaient probablement en train de conclure un accord commercial !

Scandale à Rome

Selon la légende, une jeune femme se déguisa en homme et fut élue chef de l'Église catholique ! On la surnomma « la papesse Jeanne ». Cette histoire se propagea sans doute parce que le Xe siècle compta quelques papes particulièrement vulnérables.

Une mère et sa fille, Théodora et Marosie, exercèrent leur influence sur plusieurs ecclésiastiques, allant jusqu'à décider de ceux qui devaient être les futurs papes !

ENTERRÉE EN L'ÉTAT

Merveilleusement conservée dans une sépulture complexe, entourée de trésors et enveloppée de soies fabuleuses, une mystérieuse Chinoise de la noblesse fut découverte par les archéologues dans les années 1980. Les techniques médicales modernes ont permis de révéler la maladie dont elle souffrait et la façon dont elle passa ses dernières heures.

Peuples de LÉGENDE

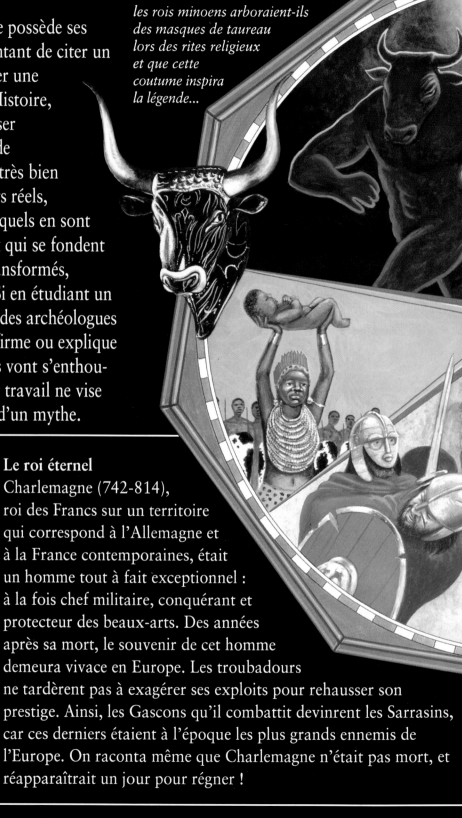

Chaque pays, chaque culture possède ses légendes. S'il est toujours tentant de citer un récit fabuleux pour confirmer une théorie sur un épisode de l'Histoire, nous devons cependant utiliser les légendes avec beaucoup de prudence. Une légende peut très bien s'appuyer sur des événements réels, cependant on ne sait jamais quels en sont les passages véridiques, ceux qui se fondent sur la réalité mais ont été transformés, et ceux qui ont été ajoutés. Si en étudiant un texte ou en fouillant un site, des archéologues font une découverte qui confirme ou explique une légende, nul doute qu'ils vont s'enthousiasmer, mais en général leur travail ne vise pas à prouver l'authenticité d'un mythe.

LE MONSTRE DU LABYRINTHE
Selon la légende, le Minotaure était mi-homme mi-taureau. Il vivait dans le labyrinthe de Cnossos, en Crète, et se nourrissait de chair humaine. Comment l'histoire a-t-elle débuté ? Peut-être les rois minoens arboraient-ils des masques de taureau lors des rites religieux et que cette coutume inspira la légende...

Le roi éternel
Charlemagne (742-814), roi des Francs sur un territoire qui correspond à l'Allemagne et à la France contemporaines, était un homme tout à fait exceptionnel : à la fois chef militaire, conquérant et protecteur des beaux-arts. Des années après sa mort, le souvenir de cet homme demeura vivace en Europe. Les troubadours ne tardèrent pas à exagérer ses exploits pour rehausser son prestige. Ainsi, les Gascons qu'il combattit devinrent les Sarrasins, car ces derniers étaient à l'époque les plus grands ennemis de l'Europe. On raconta même que Charlemagne n'était pas mort, et réapparaîtrait un jour pour régner !

CHEVAUCHANT DANS LA VALLÉE

Le héros le plus populaire d'Angleterre est Robin des Bois... mais qui était-il au juste ? Au fil des siècles, écrivains et poètes ont modifié son identité pour l'adapter aux idées de l'époque... ainsi, de paysan, il devint comte !

Robin des Bois était-il un seul personnage ou lui a-t-on attribué les exploits de plusieurs hors-la-loi ? La légende situe son existence sous le règne du roi Richard Ier, mais on a retrouvé la trace écrite d'un hors-la-loi portant le même nom (Robin Hood, en anglais) et qui vécut plus tard. A-t-il usurpé l'identité du premier ou est-ce lui le véritable Robin des Bois ?

UN TERRIBLE SACRIFICE

Au XVIIIe siècle, lorsque la guerre civile faisait rage en Afrique occidentale, une légende prétendait que la reine Pokou et son peuple s'enfuirent pour survivre. Leur voyage s'interrompit lorsqu'ils parvinrent au bord d'un vaste fleuve tumultueux. En échange d'une traversée sans péril, les dieux exigèrent qu'un enfant soit sacrifié. Pokou aurait pu tuer celui d'une pauvre femme, mais elle préféra livrer son propre fils.

Légende et réalité se confondent-elles parfois ? À mesure qu'une histoire se propage dans le temps, le mythe et les faits réels deviennent quelquefois indistincts. Une légende affirme, par exemple, qu'un des tout premiers comtes d'Anjou, en France, rencontra dans un bois une splendide jeune fille du nom de Mélusine. Il en tomba amoureux, l'épousa... et découvrit un jour qu'elle était la fille du diable ! Parmi les descendants de Mélusine, il se trouverait les rois d'Angleterre Plantagenêt (1154-1485), ancêtres de l'actuelle famille royale de Grande-Bretagne.

DES GUERRIÈRES

Les auteurs grecs racontent comment les héros mycéniens ont combattu les Amazones, une tribu de femmes installées dans une région de la Russie actuelle. Les érudits nièrent l'authenticité de ces récits, mais dans les années 1950 des archéologues découvrirent les sépultures d'une tribu nomade de Russie. Certaines tombes de femmes contenaient des armes et des armures correspondant à l'époque des Amazones.

QUI ÉTAIT LE VÉRITABLE ROI ARTHUR ?

Les premiers textes prétendent qu'il s'agissait d'un Britto-Romain ayant combattu les Saxons. Lorsque les Saxons triomphèrent, certains Bretons se réfugièrent au pays de Galles, où les bardes façonnèrent l'histoire à leur manière. Les troubadours du Moyen Âge, les poètes du XVe siècle et les écrivains victoriens du XIXe siècle y ajoutèrent leur touche personnelle, créant ainsi la légende qu'on connaît aujourd'hui.

« *Que vous le vouliez ou non,*
l'Histoire est de notre côté.
Nous vous enterrerons ! »
Nikita Khrouchtchev, homme politique de
l'ex-URSS, lors d'un discours devant des
ambassadeurs occidentaux, en 1956.

De mystérieux VESTIGES

Malgré la destruction provoquée par le temps, la nature et l'homme, un nombre incroyable de bâtisses, de textes et d'objets ont pourtant survécu ! Mais ceux-ci ne représentent qu'une infime portion de la gloire des civilisations passées. Un site peut être complètement oublié, si nous ne disposons d'aucun texte y faisant référence.

Les écrits anciens mentionnent de nombreux lieux, mais nous ignorons leurs emplacements. Certains sont découverts après une enquête soigneuse. Parfois, nous connaissons l'endroit où se situait une ancienne ville, mais elle s'avère difficile d'accès... comme les ruines de Pompéi, par exemple. Les Romains ont détruit la cité de Carthage, en Afrique du Nord, mais grâce à des fouilles minutieuses les archéologues sont en train de découvrir une multitude de renseignements sur la grande rivale de Rome, et notamment sur l'agencement de son port grandiose et de ses quais splendides (ci-contre).

Certains continuent à chercher des objets et des lieux que la plupart des érudits considèrent comme disparus à jamais, tels des vestiges bibliques comme l'arche de Noé ou l'arche d'alliance.

Les livres OUBLIÉS

S'il est déjà déplorable que des livres soient détruits par accident, on constate parfois avec horreur qu'ils ont été falsifiés pour être en accord avec les idées du moment. L'Histoire est jalonnée d'exemples de destruction volontaire d'ouvrages. Beaucoup de chefs d'État ont détruit des textes pour effacer le souvenir de leurs ennemis ou brûlé des livres pour que cessent de se répandre des idées « non conformes ».

Découvrir un texte contenant des informations historiques capitales est ce que tout archéologue attend. Le *Papyrus de Turin* compte parmi ces merveilleuses découvertes ; il contenait la liste complète de tous les souverains d'Égypte. Mais le document fut tellement endommagé pendant le transport que des experts tentent encore d'en assembler les morceaux.

Les textes anciens ont-ils influencé notre vie ? Nous devons beaucoup à la sagesse du passé, qui nous fut transmise par les Grecs et les Romains. Les Égyptiens ont inventé le calendrier de 365 jours et divisé la journée en 24 heures. Les Babyloniens utilisaient la numération sexagésimale (avec pour base le nombre 60), dont nous avons conservé la division du cercle en 360 degrés, de l'heure en 60 minutes et de la minute en 60 secondes.

DOCUMENTS PERDUS À JAMAIS
La bibliothèque d'Alexandrie contenait environ 500 000 ouvrages et attirait les érudits du monde entier. Une partie des livres fut brûlée pendant la campagne d'Égypte de Jules César (48 av. J.-C.). Le reste fut détruit dans les années 270 de notre ère. Songez à la quantité de documents historiques que nous avons perdue !

OPINIONS NÉFASTES
En 221 av. J.-C., Zeng, le chef de la province de Qinhai, devient empereur de Chine. Lorsqu'il apprend que certains savants le critiquent, il ordonne que soient brûlés tous les ouvrages, anciens et récents, qui pourraient être utilisés contre lui. Plus tard, il fera exécuter 460 érudits !

LES ÉVANGILES SECRETS
Aux premiers temps du christianisme, il existait différents groupes de chrétiens. Parmi eux, les gnostiques prétendaient détenir une connaissance secrète, alors l'Église fit détruire leurs écrits. Un gnostique enterra ses livres à Nag Hamadi, en Égypte. C'est un agriculteur qui les a découverts il y a quelques années !

Les manuscrits de la mer Morte

En 1947, un jeune berger découvre une grotte à Qumrân, sur les rives de la mer Morte. Elle renferme d'étranges manuscrits anciens. Durant les quelques années qui suivirent, on découvrit d'autres cavernes et d'autres manuscrits. L'étude de ces textes fit l'objet de rivalités entre savants, hommes politiques et religieux, mais les écrits sont aujourd'hui disponibles. Les parchemins contiennent des textes bibliques, des écrits sur la Bible, des calendriers et des cantiques. Ils datent des premiers siècles juste avant et après Jésus-Christ et furent sans doute dissimulés pendant les révoltes juives des années 66 et 132 de notre ère. Ces documents nous renseignent sur la vie religieuse avant la naissance du Christ et se révèlent tout aussi importants pour les chrétiens, les juifs et les musulmans.

ENVOLÉES EN FUMÉE...
Une sibylle était une prophétesse romaine (femme qui prédisait l'avenir). L'une d'entre elles vendit trois ouvrages rédigés de sa main au roi Tarquin de Rome. En période de troubles, on consultait souvent les oracles, considérés comme très précis. Ces recueils de prédictions furent détruits par un incendie en 83 av. J.-C., nous ne saurons donc jamais si leur contenu était aussi exact qu'on le disait alors.

D e s   œ u v r e s ÉNIGMATIQUES

Les peuples du passé n'hésitaient pas à construire des œuvres nécessitant énormément de temps et d'énergie (alors qu'ils vivaient beaucoup moins longtemps que nous). Qu'est-ce qui a poussé les chasseurs de l'âge de pierre, qui avaient besoin de toute leur énergie pour survivre, à s'engouffrer dans des grottes pour réaliser des merveilles comme celles de Lascaux (voir page 178) ? Il est souvent difficile de comprendre le pourquoi et le comment des œuvres passées. Ainsi, beaucoup ont encore peine à croire que les Égyptiens de l'Antiquité aient déployé tant d'efforts pour construire des pyramides, uniquement utilisées comme tombeaux. Lorsque nous ne disposons d'aucun texte, mais simplement d'objets anciens ou de ruines, il s'avère encore plus difficile d'en trouver la signification.

Les villes anciennes ressemblaient-elles à celles d'aujourd'hui ?
Dans la ville de Çatal Höyük (Turquie actuelle), l'une des premières du monde, il n'existait aucune route et l'on pénétrait dans les maisons par un trou dans le toit ! Cette cité entretenait de vastes relations commerciales et la prospérité y régnait. Ses citoyens craignaient peut-être que des voisins jaloux ne cherchent à les attaquer.

LES MÉGALITHES
Les peuples européens de l'âge du bronze (3500-1000 av. J.-C.) ont laissé derrière eux des monuments constitués de menhirs (pierres érigées dans le sol). Certains forment de longs alignements, d'autres des cercles, dont le plus célèbre est celui de Stonehenge (ci-contre), au sud de l'Angleterre. Nul doute que celui-ci servait à des rites religieux, peut-être en rapport avec le Soleil, car son orientation correspond à l'aurore du solstice d'été (21 juin) et au crépuscule du solstice d'hiver (21 décembre). Mais que dire des pierres sur l'île de Pâques (haut de page) ? Représentent-elles des dieux, des héros ou des ennemis ?

UN MÉMORIAL ÉTERNEL
Les premiers indigènes d'Amérique ont construit le Rock Eagle Effigy Mound en l'an 500. Cette butte représente un aigle d'une envergure de 36 m. C'est l'un des nombreux monuments laissés par les civilisations qui prospérèrent de 1000 av. J.-C. à 1500 apr. J.-C. dans les vallées de l'Ohio et du Mississippi. Certains monticules servaient de sépulture ou étaient surmontés d'un palais. Avaient-ils un usage religieux ? En l'absence de preuves écrites, nous ne pouvons que jouer aux devinettes.

DE MYSTÉRIEUX MONUMENTS

Entre 600 et 1500, les Polynésiens, qui vécurent sur l'île de Pâques, y sculptèrent environ 1 500 gigantesques têtes de pierre. Était-ce en hommage à leurs ancêtres ? On raconte que la guerre civile et la famine les empêchèrent de poursuivre leur œuvre.

DES DESSINS DANS LE SABLE

Entre 200 av. J.-C. et 600 apr. J.-C., le peuple nazca connut la prospérité le long de la côte méridionale du Pérou. Il traça des lignes dans le désert de sable, après en avoir retiré les pierres. Ces tracés s'étalent parfois sur plusieurs kilomètres, certains représentent des motifs et d'autres de gigantesques singes, araignées et oiseaux. Étaient-ils censés satisfaire des divinités célestes ?

Les gardiens des défunts

Des figurines de domestiques étaient placées dans les tombes des tout premiers souverains et nobles chinois. Le roi Zeng, qui prit le titre de Shi Huangdi, « premier empereur » (221-207 av. J.-C.), fit encore mieux ! Sa sépulture du mont Li abrite toute une armée de soldats en terre cuite, façonnée par près de 700 000 ouvriers ! Jusqu'ici, plus de 8 000 statues grandeur nature ont été découvertes, représentant des fantassins, des chevaux, des chars et des officiers. Nul doute que le souverain souhaitait assurer sa sécurité dans l'au-delà, gardé par ses plus fidèles guerriers !

LES PILIERS DE LA SAGESSE

Le souverain indien Açoka (IIIᵉ siècle av. J.-C.) installa ce pilier (ci-contre) pour indiquer le premier endroit où le Bouddha enseigna la sagesse. De nombreuses colonnes semblables témoignent des lois de l'empereur encourageant la paix et le bonheur sur son territoire.

DE RÉCENTES FOUILLES EN ÉGYPTE

ont permis d'établir que, vers l'an 2600 av. J.-C., les Égyptiens étaient en train de construire un barrage pour protéger les villages des inondations qui envahissaient une vallée très encaissée. Mais un déluge détruisit l'ouvrage avant l'achèvement des travaux.

« *La chasse au trésor est aussi vieille
que l'humanité ; l'archéologie
scientifique constitue un des progrès
de notre époque et malgré sa courte
existence... elle a accompli
des merveilles.* »
Sir Leonard Woolley,
Digging up the Past, 1940.

Idées et techniques ACTUELLES

Dans la chasse aux trésors du passé, les archéologues occupent le peloton de tête. Leurs fouilles permettent encore de découvrir des objets, bâtiments, textes, cités et même des civilisations entières jusqu'ici ignorées. Les historiens et les experts en langues analysent ensuite les découvertes. Contrairement aux anciens archéologues, les chercheurs d'aujourd'hui n'hésitent pas à utiliser les techniques les plus modernes pour accomplir leur tâche.

L'archéologie est à présent plus populaire que jamais. Des livres et des émissions de télévision l'ont rendue particulièrement attrayante, d'autant qu'avec le développement des transports aériens, des milliers de gens peuvent désormais visiter les merveilles de notre globe. Si le tourisme s'en félicite, cela n'est pas sans poser de sérieux problèmes archéologiques. Si un trop grand nombre d'individus parcourent des sites, ils peuvent détruire ce qu'ils sont précisément venus voir ! Ainsi, les grottes de Lascaux sont fermées depuis 1963. Lorsque celles-ci étaient encore ouvertes aux visiteurs, des algues envahirent le site et commencèrent à endommager des peintures vieilles de 17 000 ans (ci-contre).

Des visages
DU PASSÉ

Tous les historiens rêvent de rencontrer des individus du passé et, à de très rares occasions, ce rêve devient réalité.
Comme les anciens Égyptiens momifiaient leurs défunts, c'est avec une certaine émotion que nous pouvons observer le visage des pharaons et de leurs sujets. Parfois, la nature a conservé des corps et des visages dans d'excellentes conditions. Par ailleurs, les archéologues peuvent aussi s'orienter vers une technique policière moderne qui consiste à remodeler un visage sur l'ossature d'un crâne. Des experts utilisent de l'argile pour reconstruire les muscles, les tissus et les traits, tels que le nez et la bouche, jusqu'à ce qu'ils se retrouvent face à face avec un visage du passé.

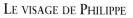

LE VISAGE DE PHILIPPE

En 1977, des archéologues découvrent ce qui, selon eux, serait la tombe du roi macédonien Philippe II, mais ils ne disposent alors d'aucune preuve. Un expert remodèle un visage d'argile sur le crâne retrouvé dans le tombeau. Il appartiendrait à un homme de 40-50 ans, avec une cicatrice au-dessus de l'œil droit. Nous savons que le roi Philippe fut blessé par une flèche dans l'œil : il doit donc s'agir de son tombeau.

L'« homme des glaces »
Un jour d'automne, il y a environ 5 000 ans, un homme traversait péniblement les Alpes lorsqu'il se retrouva pris dans le blizzard. Il s'allongea pour dormir et ne se réveilla jamais.
Préservé par la glace, son corps fut découvert en 1991. Les objets en sa possession nous apportent de précieux renseignements sur la vie à son époque.
Mais pourquoi était-il seul ? Était-ce un commerçant, un berger ou même un prêtre ? Avait-il quitté son village à la hâte ?

ENTERRÉS DANS LES TOURBIÈRES

Les tourbières (marécages où se forme la tourbe, un charbon fossile) de l'Europe du Nord ont préservé de nombreux cadavres, personnes assassinées puis jetées dans la boue. Nous savons que les hommes de l'âge du fer pratiquaient souvent des sacrifices humains pour honorer leurs divinités. Les corps retrouvés seraient-ils des victimes sacrifiées, des criminels punis ou des volontaires voulant satisfaire les dieux et apporter ainsi la bonne fortune à leur tribu ?

DES ADIEUX GRANDIOSES

Comme leurs tombeaux étaient creusés dans une terre gelée en permanence, les sépultures des chefs de clans nomades et leurs familles ont été bien conservées dans les monts de l'Altaï, au Kazakhstan. Les objets en bois, les étoffes, le cuir, les chevaux sacrifiés et les corps tatoués (datant de près de 400 ans av. J.-C.) ont tous survécu.

LES VICTIMES DU VÉSUVE

En l'an 79, le Vésuve entra en éruption et la ville italienne de Pompéi fut ensevelie sous les cendres et la pierre. La plupart des habitants s'enfuirent, mais ceux qui restèrent (environ 2 000) périrent asphyxiés par les fumées. Leurs cadavres se décomposèrent, mais les cendres se solidifièrent tout autour, conservant ainsi leur empreinte. En remplissant les creux avec du plâtre, les archéologues fabriquèrent des répliques de ces corps figés dans le temps.

UN REGARD DU PASSÉ

Elle vécut dans l'Égypte ancienne et devait avoir 14 ans à sa mort. Sa momie se réduisit à quelques ossements. Elle souffrait d'une affection nasale et elle avait perdu ses deux jambes à partir des genoux, mais nous ignorons si cela s'est produit avant ou après son décès. On a pu remodeler sur son crâne l'énigmatique visage de cette adolescente, en y ajoutant même du maquillage.

LE VISAGE D'UN ROI

Timur-i Lang (Timur le Boiteux, 1336-1405), connu des Occidentaux sous le nom de Tamerlan, bâtit un empire au Moyen-Orient et en Asie centrale. Lorsque les historiens ouvrirent son tombeau, ils demandèrent à des experts de façonner un visage sur son crâne. Le modelage achevé trahit toute la force de caractère de cet impitoyable seigneur de la guerre (ci-dessus) !

Que peut nous enseigner la médecine moderne au sujet des peuples du passé ? Une certaine connaissance de la médecine peut aider les historiens. Ainsi, la plupart des statues d'Alexandre le Grand le représentent menton relevé et la tête de côté, attitude qui trahissait toute son arrogance. Récemment, deux médecins ont émis l'hypothèse qu'il pouvait souffrir d'une maladie rare, appelée syndrome de Brown. Pour les personnes atteintes, la seule façon de voir correctement consiste à adopter le port de tête d'Alexandre le Grand.

Méthodes D'AVENIR

La science, la technologie, la médecine... autant de domaines qui ont connu d'importants progrès ces dernières années, en apportant ainsi une aide précieuse aux érudits et aux archéologues. Il existe de nouvelles techniques qui permettent aux chercheurs de retrouver des objets et de dater leurs découvertes. Les archéologues peuvent ainsi reconstituer un paysage ancien en examinant et en analysant le pollen et les minuscules organismes d'un site. Grâce aux nouvelles techniques médicales, on sait aujourd'hui analyser le sang et l'ADN. La science permet également une bonne conservation et décèle aussi les faux...

A-t-on déjà falsifié des découvertes archéologiques ? Découvert en 1912, le crâne de l'« homme de Piltdown » est alors qualifié avec enthousiasme de « chaînon manquant » dans notre évolution. Mais l'on prouvera en 1953 qu'il s'agit d'un faux. On a découvert à l'époque une vieille malle, appartenant à un conservateur du musée d'Histoire naturelle de Londres, tachée des mêmes produits chimiques que ceux utilisés par le faussaire.

LA FIERTÉ DE LA FLOTTE BRITANNIQUE
Le Mary Rose sombra au large de Plymouth, en 1545. Il se stabilisa sur un flanc au fond de l'eau, où la vase permit de conserver la moitié du navire. Renfloué en 1982, il nous apporte une multitude de détails sur la vie et la construction navale à l'époque des Tudors.

QU'EST-CE QU'IL Y A EN DESSOUS ?
On peut utiliser un matériel spécial pour trouver des cavités souterraines indiquant la présence de sépultures. Si l'on en découvre une, on perce un trou et l'on y glisse un appareil photo minuscule. Il n'y a plus qu'à prendre des clichés pour voir si le site mérite d'être ouvert.

HISTOIRE VIRTUELLE
N'avez-vous jamais observé des ruines en vous demandant à quoi pouvait ressembler le site d'origine ? L'informatique peut vous apporter une réponse. Les plans d'une ruine sont utilisés pour reconstruire l'original en trois dimensions. Et sur l'écran se profile la bâtisse telle que la voyaient ses occupants de l'époque.

ARCHÉOLOGIE AÉRIENNE

On peut facilement retrouver un bâtiment en ruine ou une vaste butte, qu'il s'agisse d'un tombeau ou des vestiges d'une cité disparue. Mais un site que l'on a aplani et labouré pendant des siècles est nettement plus difficile à repérer. Toutefois, le sol qui recouvre d'anciennes murailles n'est pas aussi profond et les plantes poussent moins bien qu'ailleurs. Ce qui crée des motifs dans les cultures, que l'on ne voit certes pas au ras du sol, mais qui apparaissent bel et bien vus d'avion.

RETROUVER LA PARENTÉ

L'ADN est une substance de notre corps, dont nous héritons de nos parents et qui détermine, entre autres, notre apparence. L'analyse de cette substance permet aux archéologues de trouver un éventuel lien de parenté entre plusieurs cadavres. On applique aujourd'hui cette méthode aux momies égyptiennes.

RESTAURATION EN DEUX ÉTAPES

La reine d'Égypte Néfertari est doublement redevable à la technologie moderne ! Des ingénieurs des travaux publics ont sauvé son temple des eaux du lac Nasser. À présent, des scientifiques se chargent de restaurer les fresques délicates des murs de son tombeau ; des cristaux de sel qui s'étaient formés sous la peinture la désagrégeaient.

Merveilles sous-marines

La seconde guerre mondiale (1939-1945) a connu l'avènement du scaphandre autonome, qui permet aux plongeurs de nager en gardant les bras libres. Un tel progrès a donné naissance à l'archéologie sous-marine. Des dizaines d'épaves de navires nous ont ainsi livré des renseignements détaillés sur leur cargaison et les secrets de leur construction. On peut aussi fouiller des bâtiments engloutis par la mer. Récemment, on a découvert de gros fragments du phare d'Alexandrie avec des statues qui décoraient autrefois la ville.

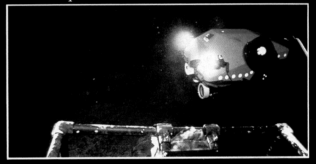

Et la prochaine étape... ?

Il nous reste encore à identifier Hélène de Troie. Robin des Bois demeure caché dans la forêt et les mines du roi Salomon présentent un défi bien alléchant. Des peuples, des trésors, des cités et des civilisations du passé restent à découvrir... ainsi que de nouveaux outils pour faciliter nos recherches. Aux yeux des archéologues, le passé offre un avenir des plus séduisants.

Vers 15000 av. J.-C. Réalisation des peintures rupestres dans la grotte de Lascaux.

Vers 3100-3130 av. J.-C. Épanouissement de la civilisation égyptienne.

Vers 3000-1450 av. J.-C. Civilisation minoenne.

Vers 2950-1500 av. J.-C. Construction de Stonehenge en trois étapes.

Vers 2600 av. J.-C. Début de la construction du premier barrage égyptien.

Vers 2500-1700 av. J.-C. Civilisation de la vallée de l'Indus.

Vers 2500-1500 av. J.-C. Apogée de la civilisation bactrienne.

Vers 2000 av. J.-C. Arrivée des Hittites en Anatolie (Turquie).

Vers 1900-1000 av. J.-C. Développement de la civilisation mycénienne.

Vers 1450 av. J.-C. Le volcan de Théra anéantit les Minoens.

Vers 1367-1350 av. J.-C. Akhenaton règne sur l'Égypte.

Vers 1190 av. J.-C. Les peuples de la Mer triomphent des Hittites.

Vers 1000 av. J.-C.-1500 apr. J.-C. Les civilisations indigènes américaines prospèrent dans les vallées de l'Ohio et du Mississippi.

Vers 800-100 av. J.-C. Civilisation grecque.

Vers 753 av. J.-C.-476 apr. J.-C. Civilisation romaine.

Vers 612 av. J.-C. Reconstruction de la cité de Babylone.

Vers 550 av. J.-C.-350 apr. J.-C. Méroé est à son apogée.

Vers 432 av. J.-C. Construction de la statue de Zeus à Olympie.

Années 400 av. J.-C.-années 200 apr. J.-C. Rayonnement de la cité de Pétra.

Vers 280 av. J.-C. Construction du phare d'Alexandrie.

Vers 272-231 av. J.-C. L'empereur Açoka règne sur l'Inde.

Vers 221-210 av. J.-C. Zeng dirige la Chine.

Vers 200 av. J.-C.-600 apr. J.-C. Création des dessins nazcas.

Vers 83 av. J.-C. Destruction des Livres sybillins.

51-30 av. J.-C. Cléopâtre VII règne sur l'Égypte.

60-62 ap. J.-C. La reine Boadicée mène la révolte des Bretons contre les Romains.

RIQUE

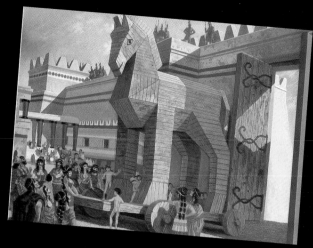

66 et 132 apr. J.-C. Révoltes juives contre le régime romain.

79 apr. J.-C. Destruction de Pompéi par l'éruption du mont Vésuve.

Années 270 apr. J.-C. Destruction des restes de la bibliothèque d'Alexandrie.

462 apr. J.-C. Destruction de la statue de Zeus.

476 apr. J.-C. Effondrement de l'Empire romain.

Vers 500 apr. J.-C. Rock Eagle Mound, États-Unis ; période supposée de l'existence du roi Arthur en Angleterre.

600-1500 apr. J.-C. Réalisation des statues de l'île de Pâques.

Années 800 apr. J.-C. Les Khmers bâtissent Angkor Vat et Angkor Thom.

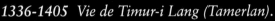

1336-1405 Vie de Timur-i Lang (Tamerlan).

1375 Destruction du phare d'Alexandrie.

1521-1522 Tenochtitlán est dévastée par les Espagnols.

1545 Le Mary Rose sombre au large des côtes anglaises.

1748 à aujourd'hui Fouilles de Pompéi et de la ville voisine d'Herculanum, en Italie.

1843 Découverte de Chichén Itzá par John Stephens.

1870 Découverte de Troie par Heinrich Schliemann.

1876 Schliemann organise les fouilles de Mycènes.

1893 Arthur Evans met au jour les vestiges de la civilisation minoenne.

1911 Hiram Bingham découvre Machu Picchu.

1912 Découverte des ossements de l'« homme de Piltdown » (dont on prouvera en 1953 qu'il s'agit d'un canular).

1922 Howard Carter ouvre le tombeau du pharaon Toutankhamon ; Leonard Woolley dirige les fouilles d'Ur.

1940 Des écoliers découvrent les peintures rupestres de Lascaux.

1945-1948 Mortimer Wheeler dirige les fouilles de Qumrân.

1947 Découverte de parchemins anciens dans une grotte à Qumrân, sur les rives de la mer Morte.

1974 Découverte du tombeau du premier empereur de Chine.

1977 Découverte du tombeau de Philippe II de Macédoine.

Années 1980 Examen de la dépouille d'une Chinoise de la noblesse.

1991 Découverte du cadavre d'un homme, conservé dans un glacier autrichien.

1992 Découverte de peintures minoennes dans des tombeaux égyptiens.

1995 Découverte d'un tombeau égyptien abritant les quelque 50 fils de Ramsès II.

1996 Réouverture du tombeau de la reine d'Égypte Néfertari.

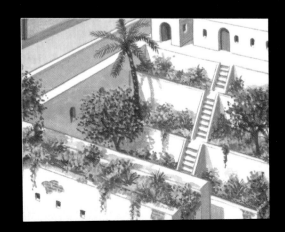

GLOSSAIRE

ADN - C'est le constituant des chromosomes.

Adobe - Brique d'argile non cuite, séchée au soleil.

Ammonite - Mollusque fossile, à coquille enroulée.

Amphibiens - Classe d'animaux vertébrés qui vivent sur la terre mais se reproduisent dans l'eau, comme les grenouilles par exemple.

Anubis - Dieu égyptien des morts et conducteur des âmes dans l'au-delà.

Apollo 11 - C'est la fusée qui a transporté Neil Armstrong et "Buzz" Aldrin sur la Lune, le 20 juillet 1969. Les deux hommes ont été les premiers à marcher sur la Lune.

Aquaculture - Élevage de poissons, de coquillages et de plantes aquatiques pour les commercialiser ou les étudier.

Archéologie - Science des choses anciennes.

Astéroïde - C'est une petite planète du système solaire.

Astrologie - Art de prévoir le destin des gens par l'étude des influences astrales.

Atmosphère - Couche d'air qui entoure le globe terrestre.

Aurore (boréale, australe) - Phénomène lumineux qui apparaît dans le ciel au-dessus du pôle Nord et du pôle Sud. Cette lumière se forme lorsque les particules du vent solaire se heurtent au champs magnétique de la Terre.

Basilique - Dans l'Antiquité, c'était un édifice qui servait de tribunal et de lieu de rendez-vous.

Bathyscaphe - Appareil destiné à observer les profondeurs sous-marines.

Branchies - Organe de respiration du poisson qui a la même fonction que le poumon. Les branchies extraient l'oxygène de l'eau. Elles se trouvent derrière la tête du poisson.

Cœlacanthe - Grand poisson osseux primitif.

Comète - C'est un astre qui parcourt le système solaire.

Constellation - Un groupement d'étoiles.

Cryogénique - Ce qui est relatif à la production du froid.

Éclipse - Lorsque la Lune cache le Soleil et provoque ainsi une pénombre sur la Terre.

Embaumement - C'est la conservation des cadavres avec des substances aromatiques.

Ère - En géologie, c'est la division la plus grande des temps géologiques.

Espèce - Groupe de plantes ou d'animaux descendant les uns des autres. Les membres d'une même espèce se ressemblent.

Évolution - C'est la transformation progressive d'une espèce vivante. La théorie de l'évolution veut que les plantes et les animaux aient un ancêtre commun.

Extinction - C'est la fin de l'existence, celle des dinosaures par exemple.

Fossile - Restes d'un animal ou d'une plante qui ont existé dans une ère passée et qui ont été conservés dans des roches ou de la terre.

Galaxie - Des milliards d'étoiles groupées ensemble.

Gène - C'est une unité qui se trouve sur un chromosome et qui transmet les caractères héréditaires des parents à leurs enfants.

Génétique - Branche de la biologie qui est la science de l'hérédité.

Hiéroglyphes - Ce sont les caractères et les signes des plus anciennes écritures égyptiennes.

Homme de Piltdown - Faux spécimen humain, consistant en un crâne humain avec une mâchoire de singe.

Huaca - Lieux ou objets que les Incas considéraient comme sacrés.

Libation - Fait, chez les Grecs et les Romains, de répandre du vin en l'honneur d'une divinité.

Lune - Satellite d'une planète.

Maladie des caissons - Maladie dont les plongeurs souffrent. Remonter trop vite à la surface entraîne une baisse de pression trop importante et peut leur être fatal.

Mammifères - Classe de vertébrés – dont l'homme – à sang chaud, à respiration pulmonaire, et qui produisent du lait pour leurs petits.

Marsupial - Mammifère primitif dont le développement embryonnaire des petits n'est que peu avancé à la naissance et qui continue dans la poche ventrale de l'animale, tout comme le kangourou.

Mastaba - Tombeau de l'ancienne Égypte, en pyramide sans pointe.

Météorite - Fragment de corps céleste qui tombe sur la Terre.

Minoen, enne - Nom donné à la civilisation qui s'est développée en Crète autour de 2000-1450 av. J.-C.

Minotaure - Monstre mi-homme et mi-taureau de la mythologie grecque, enfermé dans un labyrinthe.

Mollusque - Animal invertébré au corps mou, formé d'une tête et d'un pied musculaire qui lui sert à creuser le sable.

Momie - Cadavre préservé par l'embaumement.

Mosaïque - Assemblage décoratif de petites pièces de terre cuite ou de verre.

Mycénienne - Nom donné à la civilisation qui a dominé la Grèce en 1600-1200 av. J.-C.

Mythe - Récit fabuleux, transmis par la tradition, qui met en scène des êtres issus de l'imagination.

Nahuatl - Dialecte nahua parlé par les Aztèques. Aujourd'hui, il est utilisé au Mexique par près de 1,4 million de personnes.

Nova - Étoile dont l'éclat peut s'accroître brusquement.

Oracle - Sanctuaire où les gens venaient consulter les dieux et les déesses qui leur parlaient par l'intermédiaire des prêtres et des prêtresses.

Orbite - Trajectoire courbe d'un corps céleste voyageant autour d'un autre corps céleste.

Ovni - Objet volant non identifié.

Pierre de Rosette - Tablette trouvée en 1799 sur laquelle étaient gravés des hiéroglyphes, du grec et de l'écriture démotique. Jean-François Champollion a pu déchiffrer la tablette en comparant les textes.

Paléontologue - Personne qui étudie les fossiles.

Papyrus - Plante à grosse tige qui servait à fabriquer des feuilles pour écrire.

Perle - Concrétion dure formée de couches de nacre secrétée chez certains mollusques pour isoler un corps étranger (un grain de sable).

Pharaon - Ancien souverain égyptien souvent considéré comme un dieu.

Planète - Corps céleste du système solaire.

Plaques tectoniques - Plaques rigides (lithosphère) qui forment la surface de la Terre.

Primate - Animal de l'ordre des mammifères, un singe, un humain par exemple.

Radiographie - Technique photographique révélant la structure interne d'un corps traversé par des rayons X. Elle permet d'étudier des détails invisibles à l'œil nu.

Reptile - Animal rampant à écailles, vivant sur la terre, tel que les tortues, les serpents et les crocodiles.

Satellite - Corps gravitant

autour d'un corps plus grand, généralement un engin construit par l'homme.

Sirène - Animal fabuleux, à tête et torse de femme, avec une queue de poisson.

Soleil - Astre qui donne lumière et chaleur à la Terre.

Sonar - Dispositif de détection sous-marine utilisant des ondes acoustiques.

Sphinx - Créature fabuleuse de la mythologie grecque, lion ailé à buste de femme, qui tuait les voyageurs quand ils ne résolvaient pas l'égnime qu'elle leur proposait.

Squelette - Ensemble des os qui constituent la charpente du corps.

Supernova - Explosion très lumineuse qui marque la vie de certaines étoiles.

Système solaire - Ensemble des corps célestes gravitant autour d'une étoile ; le système solaire de la Terre comporte neuf planètes gravitant autour du Soleil.

Télescope - Instrument d'optique destiné à l'observation des objets éloignés, surtout utilisé pour scruter l'espace.

Temple - Édifice consacré au culte d'une divinité.

Tourbillon - Mouvement tournant en hélice d'un fluide ou de particules entraînées par l'air.

Trou noir - Après l'explosion d'une étoile, son noyau se comprime en un point minuscule. Sa force de gravité est si puissante que même la lumière ne peut s'en échapper.

Ufologie - Étude des phénomènes associés aux ovnis.

Univers - Le cosmos, incluant toutes les galaxies, les étoiles, les planètes et l'espace.

Vase canope - Urne funéraire avec un couvercle en forme de tête, contenant les viscères d'une momie.

Vertébré - Qui a des vertèbres, un squelette. Les poissons, les batraciens, les reptiles, les oiseaux et les mammifères forment les cinq classes de vertébrés.

Voie lactée - Bande blanche et floue qu'on aperçoit pendant les nuits claires et qui contient environ 100 000 millions d'étoiles.

Volcan - Montagne qui émet des matières en fusion. Les anciennes civilisations craignaient les volcans autant que leurs dieux.

Ziggourat - Temple des anciens Babyloniens, en forme de pyramide à étages.

INDEX

Crédits photographiques :
Ancient Art & Architecture Collection ; Bruce Coleman Collection ;
Frank Spooner Pictures ; York Archaeological Trust ;
Mary Evans Picture Library ; James Davis Travel Photography ;
Science Photo Library ; NASA ; Robert Harding Picture Library ;
Hulton Deutsch ; Courtesy of the Trustees of the British Museum, London ;
Eye Ubiquitous ; Courtesy of Rudolf Ganbrink ; Roger Vlitos ;
Hutchison Library ; Spectrum Colour Library